PAS

CHRONIQUES ET RÉCITS D'UN COUREUR

YVES BOISVERT

PAS

CHRONIQUES ET RÉCITS D'UN COUREUR

LES ÉDITIONS **LA PRESSE**

Catalogage avant publication de Bibliothèque et Archives nationales du Québec et Bibliothèque et Archives Canada

Boisvert, Yves, 1964-

Pas : chroniques et récits d'un coureur

ISBN 978-2-89705-049-8

1. Boisvert, Yves, 1964- . 2. Course à pied - Aspect psychologique. 3. Coureurs - Québec (Province) - Biographies. I. Titre.

GV1061.15.B64A3 2013   796.42092   C2013-940240-3

Directrice de l'édition : Martine Pelletier

Directrice de la commercialisation : Sandrine Donkers

Éditeur délégué : Yves Bellefleur

Couverture et direction artistique : Philippe Tardif

Mise en page : Pascal Simard

Illustrations : Charlotte Demers-Labrecque

Révision : Michèle Jean

L'éditeur bénéficie du soutien de la Société de développement des entreprises culturelles du Québec (SODEC) pour son programme d'édition et pour ses activités de promotion.

L'éditeur remercie le gouvernement du Québec de l'aide financière accordée à l'édition de cet ouvrage par l'entremise du Programme d'impôt pour l'édition de livres, administré par la SODEC.

Nous reconnaissons l'aide financière du gouvernement du Canada par l'entremise du Fonds du livre du Canada (FLC).

LES ÉDITIONS **LA PRESSE**
Présidente
Caroline Jamet

7, rue Saint-Jacques
Montréal (Québec) H2Y 1K9

À Jeanne, ma mère, qui n'a jamais eu besoin de courir, vu qu'elle a l'intelligence de partir à point et à la marche; à Cécile, ma sœur, dix fois marathonienne, qui en sait bien plus long que moi sur le sujet, et qui a compris tout ça bien avant mon frère et moi, comme souvent les filles; à Viviane, qui était là quand même quand je revenais.

SOMMAIRE

La naissance du Guépard intelligent

La Montérégie est bouleversée depuis plus d'un an, déjà.

Plusieurs ont encore peine à s'y résoudre mais Yves Boisvert, Saint-Lambertois devant l'Éternel, est retourné vivre sur l'île de Montréal pour le bien de sa santé mentale et celle de sa famille.

Les banlieusards sont en deuil de plusieurs de ses flamboyants attributs, moi le premier. Il nous arrive, ma blonde et moi, de tenir des vigies aux chandelles devant son ancienne demeure, pleurant en silence et souhaitant son retour. Néanmoins, je ne suis pas si surpris de constater jusqu'à quel point, parmi tous les souvenirs qu'il a laissés à son ancienne communauté, ce sont ses débuts «joggifs» qui hantent encore l'âme irlandaise du village. Les plus âgés et décorés militaires de la bourgade se souviennent d'Yves Boisvert comme d'un *joggeur* exceptionnel, un trotteur de légende de la plus haute qualité. On se remémore à voix haute, dans les cafés et les pubs, cette si digne incarnation du sport prolétaire par excellence, cet intransigeant spartiate de la petite foulée. D'aucuns s'émeuvent encore d'avoir pu admirer ce véritable bolide humain, discret mais redoutable, qu'on voyait courir dans les rues comme il écrit, c'est-à-dire avec grâce, mesure, persévérance et... intelligence.

Oui, cette notion de quotient intellectuel juxtaposée, chez lui, à la pratique du trot est difficile à expliquer. On la ressent mieux qu'on se l'explique.

Or, les dénigreurs du *cross-country,* ou du *cross-urban,* prétendent que le *joggeur* n'est pas un animal intelligent. Que le *jogging* n'est qu'un moyen de perdre du poids en écoutant ses musiques préférées. Qu'il n'est pratiqué essentiellement que par une élite désœuvrée en mal de survêtements à la mode, comme Madonna, ou de cuisses fermes, comme Clinton ou Sarkozy. Un historien et homme politique grec égaré, Thucydide, aurait même déclaré, un midi grec, sous un olivier grec : « Le *jogging* sort l'homme de tout état, même minéral. Il réduit la jambe à un pauvre membre se débattant en vain dans un pseudo-pantalon. »

Cet Athénien égaré n'a jamais vu Yves Boisvert courir. Cette émotion dont je parle, il faut le voir trottiner pour comprendre. Passez par le Vieux-Montréal par exemple, à l'heure du lunch, et allez vous cacher derrière les portes vitrées du palais de justice en fixant l'entrée de l'édifice de *La Presse.* Si vous êtes chanceux, vous le verrez apparaître en collant, à la fois altier et humble devant la course qui l'attend, concentré, prêt à s'élancer vers les plus hauts sommets avec la grâce du sherpa et les cuisses effilées d'un danseur russe, enchaînant les foulées aériennes d'un animal de la savane avec l'ardeur d'une bête de somme. Vous vous chuchoterez alors pour vous-mêmes, sans comprendre pourquoi ni comment mais émus jusqu'aux larmes : «Dieu de dieu, que ce coureur semble intelligent.»

Mais parlons de la naissance du Guépard.

Comme voisin, j'étais aux premières loges pour voir le félin se dessiner. Pendant des mois, par la fenêtre du salon, j'ai pu l'observer. Semaine après semaine, je l'ai vu descendre les sacs d'épicerie de sa Volvo *vintage* 82 jusqu'à la maison, pelleter son entrée, saluer les passants, discuter de bonne grâce avec les voisins, reconduire puis ramener ses enfants 26 fois par week-end. Année après année, je l'ai observé sortir de chez lui d'un pas sûr, quitter le logis pour aller jusqu'à *La Presse* dénoncer les malfrats et crier justice pour le grand bien commun. Puis, je le voyais revenir de son boulot de journaliste, sortir de sa Volvo *vintage* 82, le veston sur l'épaule, paraissant fier du travail accompli mais déjà investi des dénonciations du lendemain...

Un soir, néanmoins, alors qu'il revenait chez lui, j'ai cru déceler quelque chose... À travers son pas, soudainement hésitant, j'ai cru percevoir le début de la fatigue... La fatigue subtile qui afflige les personnes sensibles et intelligentes. La fatigue à la fois moderne et vieille comme le monde qui s'écrase sur les épaules de l'homme de plus en plus préoccupé par la préoccupation préoccupante du temps qui passe.

Parvenu lentement à sa porte, il demeura là, un long moment, immobile, les clefs à la main puis, comme dans un film au ralenti, il ouvrit et disparut chez lui.

Cette scène d'apparence anodine se reproduisit à intervalles réguliers, puis les hésitations de ses pas devenant de plus en plus fréquentes, ma blonde et moi commençâmes à nous inquiéter dangereusement pour sa santé cérébrale ou podale.

C'est alors que, sans crier gare, j'ai vu Yves, une semaine plus tard, un samedi matin, bondir hors de chez lui, en short et en espadrilles. J'ai hurlé et alerté ma blonde de venir voir. Il se tenait immobile dans la rue, le regard à la fois hagard et déterminé.

Il demeura stoïque un moment puis jeta un œil à gauche, puis l'autre à droite, avant de s'élancer, doucement, courir, à dose mesurée, son pas de gymnastique, jusqu'à ce qu'il disparaisse à travers les vapeurs mystérieuses de la rosée du matin.

Une transformation s'était opérée. Comme dans un accélérateur de particules.

Le Guépard était né.

Des mois plus tard, il n'avait plus l'œil hagard ni le pas hésitant. Il courait comme un aborigène, enchaînant les foulées sans effort, déposant le bout du pied en premier plutôt que le talon, évaluant, grâce à sa nouvelle montre reliée à un satellite, ses progrès en temps et en distance, la direction du vent à venir et, j'imagine, d'autres données essentielles à connaître pour courir adéquatement comme le vol des oiseaux, la vitesse de la fonte des glaces ou l'adresse du cordonnier le plus proche.

J'osai l'aborder, admiratif, au moment où il revenait d'une de ses nombreuses randonnées sautillantes hebdomadaires :

« Wow ! Hé, salut Yves... Hé ben. Wow ! Tu cours, hein ?... Ayayaye. Tu cours souvent, hein ?

– Chacun ses névroses... qu'il répondit. »

Il regarda l'horizon puis me tourna le dos et se dirigea chez lui. Il se retourna pour ajouter, comme un yogi à son disciple :

« Il faut courir délicatement, sur la pointe des pieds... Comme le fakir qui marche sur les braises. »

Il regarda de nouveau l'horizon, puis se retourna et disparut définitivement chez lui.

Regagnant la maison à mon tour, je chuchotai pour moi-même, ému, à travers mes larmes : «Dieu de dieu, que ce coureur est intelligent.»

Quelques jours plus tard, il m'invita à courir avec lui. Un 10 km. Je n'avais pas *joggé* sérieusement depuis deux ans, à la suite d'une blessure. Ce qui semblait presque une sieste pour lui s'avéra pour moi un calvaire. Après 5 km, j'essayais de ne pas laisser paraître que mes jambes m'étaient aussi lestes que deux vaches mortes et que j'avais le souffle léger d'un nonagénaire asthmatique, un lendemain de brosse.

«Ça va? me demandait-il délicatement, aux deux minutes, plusieurs foulées en avant de moi. On y va à ton rythme, hein... Moi je te suis. Force rien.

— Je force pas du tout, Yves.»

J'étais mort plusieurs fois en dedans. Il le savait, mais, par galanterie, garda le rythme.

N'empêche. Je ne m'y adonne plus autant qu'avant mais Yves m'a vraiment redonné, ce jour-là, le goût de la course. Je niaise pas.

Je crois même que, sans le savoir, nous devions servir notre destin respectif. Pendant nos années de concubinage voisin à Saint-Lambert, je divertirais sa femme et ses enfants avec un humour de qualité et, en échange, Yves me réinitierait au pas de gymnastique de banlieue.

Une fois son devoir accompli, il partirait, bien sûr, courir d'autres horizons. Il partirait guérir Montréal des corruptions des cités corrompues. C'est le lot des Guépards intelligents.

Alors, je te dis merci. Merci pour tes pieds. Pour tes genoux. Merci pour tout.

Maintenant cours, Yves, cours !

Va sauver l'Amérique !

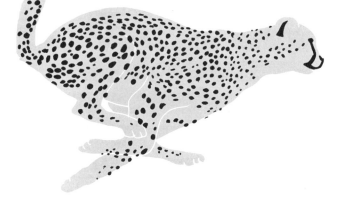

Marc Labrèche, toujours à Saint-Lambert

La honte et la joie

Les gens, normalement, commencent leur livre par des remerciements. Je voudrais pour ma part présenter mes excuses.

Je n'ai aucune compétence athlétique, ni technique, ni sportive, pour m'autoriser à écrire sur la course à pied.

Je repense à mes amis de l'école secondaire... Raynald, Stéphane, Eddy... Je veux dire les vrais sportifs. J'imagine, il y a 30 ans, leur dire : les gars, un jour, j'écrirai un livre sur la course à pied !

Ils se seraient bien bidonnés, pas de doute. Peut-être m'auraient-ils aimablement orienté vers un sujet plus à ma portée. Plongée sous-marine en piscine ? Numismatique ?

Mettons que sans être le pire, j'étais un sportif notoirement médiocre. Retranché de l'équipe de basket (qui n'a pourtant rien remporté), toléré au badminton, fin joueur de ping-pong, ma place était davantage au club d'échecs, encore que là non plus je ne menaçais pas de récrire le livre des records, encore moins d'écrire un traité sur le sujet.

Ce livre comporte donc une dose importante d'imposture. Il ne faut surtout pas y chercher des trucs, des conseils ou des techniques.

Ce n'est pas non plus un livre sur la santé par l'exercice physique, même si tout est parti d'un rendez-vous manqué avec la mort. Mon père est mort d'un infarctus à 74 ans, son père aussi, mon autre grand-père également 20 ans plus jeune. Je n'y pense pas en attachant mes souliers, mais je cours un peu contre ça : un cœur qui pète sans au moins avoir essayé de l'entretenir...

Ce n'est que le récit de quelqu'un parti de rien, un peu honteusement et à bout de souffle au milieu de la quarantaine, et qui s'est trouvé surpris de courir bientôt régulièrement une heure sans s'époumoner.

Parti de rien ? De pas grand-chose. Je me souviens, à 11 ou 12 ans, de ces épreuves d'évaluation physique normalisées au terme desquelles on décernait des badges d'honneur, excellence, or, argent, bronze, selon les barèmes nationaux.

Moi ? Rien de rien ! Ni en course, ni en saut en hauteur, en longueur ou en diagonale, ni en redressements, ni en lancement d'objets, rien ! Bref, j'ai fait une carrière sportive scolaire invisible autant qu'enthousiaste. Nul et classé comme tel officiellement.

Me voici cinq marathons plus tard coureur assumé et dopé de course. Cinq marathons? Je relis ça et j'ai l'impression que c'est d'un autre qu'il s'agit. C'est bien moi, pourtant, mais légèrement transformé...

La course à pied est arrivée dans ma vie comme un accident. D'abord comme pour conjurer le sort et fêter l'improbable retour à la vie de mon frère. C'est rapidement devenu une dépendance. Une manière infiniment simple de se promener dans la géographie, dans le temps et dans mon cerveau.

Voilà ce que je raconte ici en tant que témoin encore étonné de ses propres pas et de ceux des autres.

Un témoin qui a commencé à reculons et qui s'est soudainement et tout bêtement trouvé joyeux.

Le frère

On ne m'appelait pas la gazelle de la Rive-Sud, mais je courais. Sans élégance, sans naturel, mais je courais.

Souvent, je regardais mes pieds pour vérifier que je n'avais pas chaussé par inadvertance mes bottes de scaphandrier. Eh non, c'étaient bien des souliers de course. Fabriqués en Chine? Si ça se trouve, il y a du plomb là-dedans.

Ce n'est pas ma faute. C'est à cause de mon frère. À 56 ans, crise cardiaque majeure. Soins intensifs. Deux jours à ne pas savoir s'il s'en sortirait.

Exactement le genre de gars qui n'a pas l'air d'un candidat à l'infarctus. Je veux dire pas l'air pour un profane. Aucun embonpoint visible à l'œil nu, enfin rien pour faire chuchoter les passants dans la rue. Disons peut-être six ou sept kilos en trop — comme tout le monde, pas vrai? Pas vraiment de cholestérol. Et puis une sorte de sédentarité active, sans sport extrême, certes, mais sans non plus d'excès de *lazy-boy* ou de nourriture. Un père mort du cœur, mais à 74 ans. Stress? Sans doute, mais, trouvez-moi un être humain occidental de 56, 43 ou 32 ans sans stress.

Ça l'a frappé, donc, en juillet 2007. En juillet 1957, le même type serait mort. Maintenant, on ramène ces morts-là à la vie.

On se dit: la vie vient de rapetisser, il va devoir changer, diminuer, ralentir.

Tu parles. Les docteurs d'aujourd'hui ne l'entendent pas exactement comme ça. Les accidentés du cœur ne sont pas sitôt sortis de l'hôpital que les médecins les envoient bouger, courir, nager.

Alors, il a couru. Enfin, pas tout de suite. Après avoir accompli l'incroyable exploit de remonter l'escalier du sous-sol, il a commencé par marcher. Après, il a couru 2 minutes. Et un autre jour 5. Puis 10 minutes, 15 minutes, 20 minutes. Et ça allait mieux. Et il continuait. Et je ne l'avais jamais vu en forme comme ça.

Je le rencontre au mois de juillet 2008, donc un an après l'infarctus. « Je me suis inscrit aux 10 km du Marathon de Montréal », me dit-il.

« Es-tu sûr ? Est-ce bien raisonnable ? Que dit le cardiologue ?

— Le cardiologue dit que c'est une excellente idée si je m'entraîne intelligemment.

— Je m'inquiète pour ton cardiologue. A-t-il déjà songé à consulter ? »

Ouais... Si c'est bon pour un accidenté du cœur, ça doit être bon pour moi. Je ne vais quand même pas le regarder bêtement courir. Déjà, une de mes sœurs faisait des marathons depuis des années, ce pour quoi je l'admirais, mais qui ne me tentait pas le moins du monde. Et de toute manière, ce n'est pas pour moi, ces trucs-là...

Mais là, on ne parle que de courir 10 km...

Je me suis inscrit et j'ai commencé à courir avec le programme officiel du Marathon. Sans en parler tout de suite, au cas où...

La course est rapidement devenue l'équivalent de ces classiques un peu ennuyants qu'on est content d'avoir lus, mais qui ne nous ont pas procuré le plaisir promis.

Les extases du coureur me sont longtemps demeurées inconnues, les purs plaisirs de la course chichement comptés.

Mais je courais.

J'ai pensé imiter Jean O'Neil, qui venait de publier un autre de ses beaux recueils de promenades intimes, dans les livres, celles-là (*Écrivains chéris*, chez Libre Expression).

O'Neil raconte que, pour supporter le voyage hebdomadaire aller-retour Longueuil-Québec en autocar sur la 20, il s'était mis en tête d'apprendre par cœur les 979 mots du *Cimetière marin,* de Paul Valéry.

Sur les maisons des morts mon ombre passe

Qui m'apprivoise à son frêle mouvoir.

C'est un truc comme un autre.

C'est fou ce qu'un coureur peut générer comme courses. Pendant les vacances, j'ai parlé de mon projet au beau-père. Il s'est acheté des souliers. Je lui ai montré le moniteur cardiaque que j'avais acheté. « Pas besoin de ces gadgets-là », m'a-t-il d'abord rétorqué. Il faut dire qu'il a couru sérieusement, dans le temps. « Montre-moi donc ça encore, cette affaire-là ? » m'a-t-il finalement dit en attachant ses souliers. Depuis ce jour du mois d'août, il court lui aussi. Le beau-frère, la belle-sœur… Et ça dure, cinq ans plus tard.

Le 14 septembre, j'étais avec mon accidenté du cœur. Arrivés bien à l'avance et sans la moindre idée du fonctionnement de ces courses, nous étions à l'avant, avec les plus rapides. On s'est fait dépasser tout le long, ce qui finit par vous convaincre que vous êtes le plus lent des plus lents. On a couru la chose en 1 h 5 min, ce qui ne menace pas pour le moment le record du monde (mais l'idée, c'est justement que les Kényans ne nous voient pas venir, on progresse discrètement et irrésistiblement, on est indétectables).

Ce jour-là, mon frère a fait la course de sa vie, pour ainsi dire. J'y repense et je suis épaté. Et fier de lui, hé, c'est mon grand frère...

«T'es pas pire pour un mort», que je lui ai dit.

Premiers pas

Tout ce que ça prend, c'est une paire de souliers, pas vrai?

Pas vraiment.

La preuve : j'avais au fond du placard une vieille paire neuve de souliers Asics achetée cinq ans plus tôt en solde dans un magasin de sport de Caraquet. J'ai dit que je n'avais jamais couru avant de m'entraîner pour accompagner mon frère. Ce n'est pas tout à fait exact.

Cet été-là, en vacances en Acadie, je partais courir une vingtaine de minutes l'après-midi sur la piste cyclable qui surplombe un repli de la baie des Chaleurs. Il y avait un martin-pêcheur et un héron côté mer, il y avait un rat musqué côté fossé. Il y avait ce vent qui vous tient au frais même en juillet. Je revenais fier et assoiffé de ces courses improvisées. J'ouvrais une bière et j'imaginais que j'étais un coureur.

Tellement qu'en voyant ces souliers soldés dans le magasin de sport local, je les avais achetés pour le jour, proche sans doute, où mes souliers seraient usés. Comme une promesse à moi-même dont la réalisation était différée *sine die*...

Revenu en ville après les vacances, je n'ai plus jamais couru. J'étais un coureur dans ma tête seulement. Un coureur dans le placard.

Au hasard d'une fouille saisonnière aux confins de ce placard, je recroisais ces souliers, qui me suppliaient de sortir printemps après printemps. Oui, oui, un jour on sortira ensemble... Ce jour ne venait jamais.

J'avais les souliers, donc. Manifestement ça ne suffisait pas. Il fallait une intention un peu durable. Le projet d'accompagner mon frère pour sa course me l'a fournie.

Il me restait sept semaines pour m'entraîner. J'ai pris le programme pour débutants «B» et j'ai commencé. Il fallait courir 25 minutes ce jour-là. Facile!

Avec mes nouveaux vieux souliers, d'une couleur qui depuis longtemps avait été abandonnée par le manufacturier, je suis parti dans les rues de mon quartier. J'ai choisi celles où j'étais certain de ne connaître personne.

J'avais l'impression de courir dans les habits d'un autre. Si j'étais aperçu, je serais démasqué. Pour courir heureux, je courais caché.

Je ne courais pas tellement heureux, d'ailleurs.

Je me souviens clairement de cette première sortie de 25 minutes. Après 10, je pompais l'huile. Trop ridicule! Pas question d'arrêter! La 15e minute révolue, je n'en pouvais plus. Je devais me résoudre à marcher, ce qui me semblait une défaite morale et physique catastrophique.

Le souffle repris, j'ai recommencé cinq minutes. Pour marcher encore deux minutes. Et terminer mon parcours cinq minutes plus tard avec une tête de tomate étuvée.

Pathétique. Ces souliers, sans doute, avaient perdu de leur élasticité après ces années de réclusion à l'ombre... Quelle nullité!

J'avais l'impression d'avoir couru 5 km. Allons mesurer ce parcours, ça nous remontera le moral, mes souliers et moi. En sueur et à moitié agonisant, j'ai pris ma voiture et refait mon parcours. Je ne connaissais pas encore les sites où l'on peut faire ça avec une parfaite précision devant son ordinateur, comme <runningmap.com> ou <mapmyrun.com>.

Merde, 3,8 km...

Et il faut que j'en coure 10!

La sortie suivante fut moins pénible. Et après deux semaines, je courais 45 minutes sans le moindre plaisir, mais sans m'arrêter.

Je me souviens du bout de trottoir qui marquait la fin du premier kilomètre dans mon parcours urbain. J'y arrivais en six minutes. Ensuite, j'improvisais un circuit plus propre à préserver mon anonymat de prétendu coureur.

Jour après jour, j'arrivais toujours à mon coin de trottoir en six minutes, même quand je croyais avoir nettement amélioré ma performance. J'espérais retrancher quelques secondes à chaque nouvelle sortie. Ça ne fonctionne pas exactement comme ça. Ça ne fonctionne pas du tout comme ça, en fait, et si j'étais déçu d'arriver à mon coin de trottoir dans un temps désespérément constant, du moins j'y arrivais dans un état moins désespéré.

Je n'allais peut-être pas plus vite, mais j'y allais mieux.

Un jour, j'ai décidé de battre mon record, ce qui n'était pas particulièrement difficile. J'ai retranché une quarantaine de secondes... Et comme de raison, pendant tout le reste du parcours, je suffoquais.

C'est une leçon que je ne cesse d'apprendre : tout le temps qu'on croit gagner en partant trop vite, on le souffre en double ou en triple à la fin...

Une loi immuable contre laquelle je me révolte mais qui se rappelle à moi périodiquement, chaque fois que je la défie, 1500 m ou marathon. Toutes mes bonnes courses ont été fondées sur le respect de ce commandement, soit par obéissance, soit par inadvertance, me croyant blessé ou sous-estimant ma forme du jour. Et toutes mes déconvenues trouvent leur source dans un défi à cette loi.

Quand je foulais le trottoir du kilomètre 1, cet été-là, je n'avais pas la moindre intention de courir une autre course. Je ne savais même pas qu'il y avait des centaines de courses à pied un peu partout dans la région. Tout cet univers m'était inconnu et ne m'intéressait pas le moins du monde. Tout ce que je voulais, c'était de faire 10 km avec mon frère, arriver au Stade olympique, être content d'en finir et qu'on n'en parle plus.

J'aurais partagé un beau moment, j'aurais rentabilisé mon investissement dans un magasin de sport acadien. Et je pourrais ranger mes souliers jusqu'au jour où ce mélange de bleu et d'ocre reviendrait à la mode.

La mort

Quand j'ai dit à l'ami Serge Chapleau que je courais, il m'a sorti les deux lignes classiques que tout non-coureur militant devrait retenir :

1) Rappelle-toi ce qui est arrivé à Marathon :
   le gars est mort !

2) L'inventeur du jogging est mort en courant !

D'abord, la mythique course de Marathon à Athènes, en l'an 490 avant notre ère, par un messager nommé Philippidès, qui mourut à l'arrivée en annonçant la victoire des Grecs sur les Perses, eh bien, cette course est précisément cela : un mythe.

Les messagers de l'époque, à ce qu'on dit, étaient entraînés pour courir des centaines de kilomètres et ce ne sont pas les 40 petits kilomètres « moumounes » qui séparent Marathon d'Athènes, ni même 42,195 km, qui en seraient venus à bout.

On n'a aucune preuve de la mort de ce Philippidès, et si ça se trouve, le gars court encore.

Objection plus sérieuse : la mort de Jim Fixx.

James Fuller Fixx n'a pas «inventé» le jogging, on s'en doute, mais il a créé à lui seul une vague sociologique sans précédent, avec son *best-seller* (*The Complete Book of Running*, 1977). Il est devenu le plus grand propagandiste des vertus de la course à pied que la terre ait porté.

On pourrait dire sans exagérer qu'il a sorti la course de fond des rangs des athlètes de haut niveau, ou plutôt qu'il y a fait entrer monsieur et madame Tout-le-Monde.

Jusqu'en 1960, moins de 200 coureurs prenaient part au Marathon de Boston. Aussi célèbre et mythique soit-il, ce n'était nullement un événement «populaire».

En 1970, il n'y eut pas 1200 participants.

Dans les cinq années suivant la parution du livre de Fixx, le nombre de participants passa de 3000 à 7000. On en compte plus de 26 000 maintenant. En 1976, 25 000 Américains avaient complété un marathon quelque part aux États-Unis. Ils étaient un demi-million 35 ans plus tard.

Fixx est en quelque sorte le père des coureurs amateurs de jogging de la première vague.

Mais voilà, il a eu la très mauvaise idée de mourir à 52 ans, en pleine gloire, au beau milieu de sa course dominicale, en 1984. Un infarctus comme ceux que font les sédentaires qu'il s'échinait à faire sortir de leur fauteuil depuis des années.

Ah! voilà à quoi mène cette frénésie absurde. La mort, la mort comme à Athènes, il y a 2500 ans. Ils ne comprendront donc jamais que c'est mortel, courir autant!

Il y eut en effet une sorte d'effet de refroidissement.

Non, la course à pied n'était pas la fontaine de Jouvence, la voie royale et idéale vers la longévité ou la guérison garantie des souffrances de l'âme et du corps.

La mort tragique et traumatisante de Fixx au milieu d'un acte de «santé» n'est pas pour autant la preuve des dangers du jogging.

Commençons par noter qu'avant de se mettre à la course à pied, en 1967, Fixx fumait deux paquets de cigarettes par jour et pesait 240 livres (109 kg). Dix ans plus tard, il en avait perdu 60 (27 kg) et ne fumait plus.

Son père était mort d'un infarctus à 43 ans et lui-même avait une malformation cardiaque congénitale.

Bref, selon toute probabilité, son mode de vie de sportif lui a plutôt sauvé la vie pendant des années.

Comment le prouver? Un effort physique intense pour un cœur malade peut être fatal. Et comme l'a dit un cardiologue au *Runner's World*, si votre but est de survivre pour la prochaine heure, couchez-vous — seul — et ne bougez pas.

Assurément, on risque plus une crise cardiaque en courant qu'en restant couché ou en regardant la télé à cet instant précis.

Toutefois, on court plus de risques d'infarctus à demeurer sédentaire qu'à faire de l'activité physique. Le meilleur conseil de santé demeure donc de faire une heure d'activité physique modérée chaque jour.

À la fin, aussi bien s'en remettre à la devise de Fixx : la course à pied n'ajoute peut-être pas d'années à ma vie, mais elle ajoute de la vie à mes années.

L'écrivain japonais Haruki Murakami, qui a un palmarès de plusieurs marathons et ultramarathons, parle de cette «vitalité» accrue.

C'est sans doute de cela qu'il faut s'inspirer plutôt que de ces centaines d'études sur les dangers et les mérites des marathons.

C'est bien prouvé, bien certain, pour quiconque a couru un peu : un très simple bien-être qu'on veut retrouver sans cesse.

Trois ans après la mise en garde de Chapleau, au fait, je l'ai vu avec un sac d'une boutique de course à pied bien connue...

Oui madame. Et je ne souhaite à aucun sujet de caricature de passer sous son crayon un jour où il doit manquer sa séance de jogging. Ça, c'est mortellement dangereux.

Le miel

Après quelques semaines d'entraînement, j'en étais rendu à 6,5 très longs kilomètres et mon programme m'annonçait déjà un «test 10 km».

Ce qui veut dire en pratique courir la distance le plus rapidement possible.

Se rendre au point d'arrivée me semblait un exploit suffisant. D'autant que j'étais le jour dit en vacances en Caroline du Nord, où il faisait 30 degrés.

Pas grave, on n'a pas le choix, le programme l'a dit: c'est aujourd'hui. En voiture, j'ai identifié sur la route 12 un poteau à 5 km de distance. Je ne pouvais pas croire que je ferais cet aller-retour. En faisant demi-tour en voiture, je note la présence sur l'accotement d'un type athlétique dans la vingtaine qui avait l'air d'un *marine* et qui courait torse nu, sac au dos. Fort...

Je suis revenu au chalet que nous louions. J'ai annoncé mon départ à la famille comme si je m'embarquais pour Mars dans une fusée russe. Ma belle-mère m'a commandé de prendre une cuillerée de miel. J'ai obéi.

C'était la fin de l'après-midi et le soleil plombait encore. J'ai couru le long de la route, sur l'accotement. Merde! Voici mon *marine* qui repasse... Ça doit bien faire deux heures qu'il court, il est fou ce gars!

L'exemple de gens qui s'entraînent dans l'entourage peut vous inspirer. Mais l'exemple de gens trop exagérément en forme peut avoir l'effet exactement inverse. Au point où j'en étais ce jour-là, à peiner sur une maigre distance qui m'était pourtant immense, voir cet *Ironman* au corps d'Adonis gambader légèrement pendant des heures m'a semblé aussi écrasant que le soleil du sud.

En le croisant, il m'a lancé une sorte de *«lâche pas mon vieux»*, où se mêlaient l'encouragement sincère et la compassion. Je lui ai envoyé la main en retour en me disant: y est ben mieux de pas me recroiser une autre fois au retour.

Il y avait le vendeur de fusils en tous genres, l'épicerie, la station-service et au loin le bâtiment jaune fluo du vendeur de *fudge* «maison», quelque part près des 4 km. De là, je pouvais commencer à imaginer mon poteau... Non, pas lui... Ni lui... Ah! je le vois. Au moment où j'allais le toucher et rebrousser chemin, une voiture ralentit à mes côtés en klaxonnant.

C'était mon beau-père qui me tendait par la vitre une bouteille d'eau comme si j'étais au milieu du Marathon des Sables — et j'en avais en effet l'impression.

Je l'ai repoussée d'un geste orgueilleux, sans dire un mot. J'y arriverais seul ou pas du tout...

Revenir sur ses pas ajoute souvent l'ennui à la fatigue. On revoit les mêmes opossums aplatis aux mêmes endroits, les mêmes chiens aboient aux mêmes adresses, on dirait seulement que la chaleur a dilaté le terrain et que les objets sont plus loin les uns des autres.

À 400 m de l'arrivée, mon chrono menaçait d'annoncer «une heure». J'ai sprinté comme un *marine* et touché le chalet comme si un marqueur relié aux dieux de la course allait rendre l'événement officiel, incontestable, enregistré.

Je suis rentré comme si je venais d'accomplir un exploit colossal, conscient que le refus de la bouteille d'eau ajoutait une dimension de courage physique qui ne manquerait pas d'être l'objet de discussions ou de reproches empathiques.

Jamais dans l'histoire de la bière une gorgée ne fut plus appréciée.

«En tout cas, je peux vous dire quelque chose de certain: je ne courrai jamais de marathon! Avez-vous vu le malade avec son sac sur le dos? Il a dû courir au moins deux heures ! Non, moi, 10 km, je trouve que c'est assez comme défi... »

L'année suivante, exactement au même endroit, on apercevait un gars avec une ceinture de bouteilles d'eau aller et venir pendant deux heures, deux heures et demie certains dimanches. C'était moi, enfin cet autre moi que je n'imaginais pas. J'étais officiellement déguisé en coureur et je saluais les coureurs le long de l'accotement par un *nice job* et autres paroles d'encouragement et d'autocongratulation mutuelle, comme les Chevaliers de Colomb se font des signes pour se reconnaître dans un monde hostile...

Je repensais à ma gorgée de miel et ça m'aidait à avancer bien davantage, un an plus tard.

Souffrir

Longtemps, je n'ai aimé la course qu'après avoir couru. J'avais beau changer mon parcours, sortir de mes rues de banlieue, me distraire de mon essoufflement en allant rebondir sur le passage piétonnier du pont Jacques-Cartier, c'était quand même comme sous le pont Mirabeau : la joie venait toujours après la peine.

Tous ces livres de course qui parlent du «deuxième souffle»... Tous ces récits exaltant l'ivresse du coureur... Ces gens qui vous disent : «Je suis rentré à la maison après deux heures et je pense que j'aurais pu courir jusqu'au lendemain!»

Ben oui, ben oui...

Tout ce que j'avais lu sur la course jusque-là ressemblait à une sorte de *pep talk* ou d'hymne militaire où le corps exulte un peu plus à chaque pas sur fond de trompette. Je consommais avidement les magazines de course où des blondes de 21 ans présentent leurs abdomens d'acier en première page les mois pairs, suivies, les mois impairs, de gars qu'on dirait sortis des forces spéciales pour une séance de photo en souliers de course.

Tout ça ne faisait qu'accroître mon sentiment d'incompétence. Quel foutu «deuxième souffle»? Et où est-ce qu'on achète le premier? Y'a des pilules pour ça?

La décharge d'endorphines d'après course était si bonne, cependant, que j'acceptais volontiers l'ennui profond, l'inconfort et certains jours la douleur. Je souffrais en échange de la promesse d'une petite euphorie usagée.

Mais «pendant» qu'on court, est-on condamné à attendre d'avoir fini? Est-ce un sport qu'on subit? Qu'on aime éternellement avec effet rétroactif? Course à pied, donne-moi une raison d'espérer...

Drôle de sport. Si le tennis ou le golf avaient été comme ça, ils n'auraient pas duré longtemps. Hé! Viens essayer ça, tu frappes des balles pendant une heure, c'est super plate, mais après, quel sentiment formidable!

Il m'a bien fallu trois mois avant d'y prendre plaisir «en le faisant». Il n'y a pas eu de Grand Jour. Simplement une lente acclimatation. Et soudain, entre deux foulées d'automne sur l'île Sainte-Hélène, l'étonnement d'être absolument et simplement... bien.

Il fallait atteindre un certain niveau de forme, sans doute, avant de goûter ce plaisir en direct.

Il fallait surtout courir au bon rythme, comme l'explique sans cesse l'entraîneur Jean-Yves Cloutier*. Ce que ça veut dire? Ne pas faire ce que j'ai fait. Ne pas entrer au milieu d'un programme d'entraînement en se disant: ça devait durer 12 semaines, mais il ne m'en reste que 7, alors y'a pas de temps à perdre...

Pour courir 10 km, ça n'a pas de conséquences désastreuses. Pour un marathon, ce serait carrément dangereux. Et surtout la promesse d'un déplaisir très long au jour «M». Autrement dit, même au début, il y a un rythme à respecter. Une zone d'effort soutenable dans laquelle on n'est pas en train de chercher son air ou le chemin de traverse pour s'échapper.

Sauf qu'on ne fait jamais ça. On commence par courir à l'instinct, c'est-à-dire avec sa tête. On court comme on imagine qu'on devrait décemment courir. Et on tente de s'y tenir. En pensant que les bénéfices sont directement proportionnels à l'effort. Ce n'est pas comme ça que ça fonctionne. Ni pour les débutants ni pour les athlètes d'élite.

À l'automne 2012, après trois saisons de rêve sur le circuit de la Coupe du monde de ski de fond, Devon Kershaw s'est emballé et a fait ses longues sorties à haute vitesse. La saison qui a suivi a été misérable. Les entraînements d'endurance fondamentale ne sont pas faits pour ça, mais la tentation d'en faire trop est toujours là.

* *Courir au bon rythme*, par Jean-Yves Cloutier et Michel Gauthier, Éditions La Presse.

45

Le ridicule de l'affaire, c'est qu'on n'a pas sitôt trouvé sa zone de confort que déjà on trépigne à l'idée d'aller faire une compétition. On a beau ne courir que contre soi-même au milieu de la masse, on se donne… On souffre!

Pourquoi faire ça? Il n'y a pas beaucoup de courses où je ne me suis pas posé sérieusement la question. Au 7e kilomètre d'une course de 10, quand le réservoir est vide et que je regarde ma montre: pourquoi faire ça? Qu'est-ce que ça va changer à ma vie de courir en 41 min 9 s plutôt qu'en 41 min 21 s? Ou 43 ? Ou 55 ? Un temps qui ne veut rien dire, qui ne sert à rien! Je veux arrêter, laissez-moi sortir d'ici… Je ne referai plus jamais ça. J'irai courir dans la montagne avec les renards, pas de montre, libéré…

À Ottawa, au 37e kilomètre de mon deuxième marathon, les jambes raides, le corps lourd, un compagnon d'infortune arrive à mes côtés. On se reconnaît entre agonisants.

« Don't you think this is fucking long? »

Long? Ça vient juste de commencer, mon vieux. Ça commence quand on n'a plus rien mais qu'il reste encore 10 ou 5 km à parcourir, non? Sinon, on n'appellerait pas ça un marathon.

Alors, pourquoi s'échiner comme ça?

Pour se mesurer à soi-même. Et si on ne se mesure jamais, ce n'est pas une course. C'est du jogging. Ça ne remplit pas les mêmes objectifs. Ça ne se nourrit pas aux mêmes névroses.

On ne touche pas aux limites sans accepter de souffrir un peu. Marguerite Yourcenar fait dire à Hadrien que le jeûne vous mène dans des états «proches du vertige». Ce n'est pas sans rapport avec l'effort soutenu, qui lui aussi fait parfois entrer le corps «dans un monde pour lequel il n'est pas fait, et qui préfigure les froides légèretés de la mort».

C'est fou comme on se sent vivant après ça.

Premières neiges

Courir m'a servi au moins à ceci: ne plus détester le mois de novembre.

La lumière qui s'éteint un peu plus chaque jour, le froid qui s'avance, les couleurs qui disparaissent... Pas grave! À 5 degrés, l'air vous arrive à pleins poumons, vous roulez à un train d'enfer, on dirait qu'on est au sommet de sa forme et c'est souvent vrai.

Ça demeure néanmoins le mois de novembre...

Après trois courses «officielles» de 10 km, après avoir franchi la barre des 50 minutes dans ce parc de l'ouest de l'île de Montréal au milieu de l'automne, je me suis retrouvé comme un con au début de ce mois en gris et noir avec mes souliers, aucun projet et l'hiver qui me menaçait.

L'hiver...

Qu'est-ce qui va nous arriver, mes souliers et moi? J'ai consulté un ami habitué des intempéries et des courses en janvier.

« Faut acheter des crampons, mais pas des crampons avec des pointes... Ceux comme en ressorts... Et trois couches de vêtements... »

Ah ! j'étais prêt, je l'attendais cette neige. Elle est arrivée vers le 4 décembre. J'ai installé mes Yaktrax sur mes souliers et je me suis rendu jusqu'au trottoir.

Là, comme un chat qui pose pour la première fois sa patte sur cette substance étrange, j'ai déposé mon pied cramponné de frais. Ça glisse ? Hum... Un peu...

Aujourd'hui, même en hiver, je cours avec des souliers tout ce qu'il y a de normal, sauf circonstances extrêmes, auquel cas je chausse des souliers « d'hiver » avec crampons en caoutchouc. Entre nous soit dit, les jours vraiment glacés et impraticables sont rares et aucun système de cramponnage n'en vient parfaitement à bout.

Mais on est nouveau à la chose, on s'informe, on s'équipe comme George Mallory parti sur les hauteurs du Népal et jamais revenu... On enfile ses couches de vêtements la première fois comme un curé se glisse dans sa chasuble avant la grand-messe...

La partie vestimentaire de l'affaire est la plus facile à régler. Pour traverser l'hiver, c'est un plan qu'il nous faut. Des 10 km, c'est bien beau, mais ça me prenait quelque chose de plus costaud pour me faire sortir.

J'avais découvert le calendrier des courses sur <courir.org>. Tiens, tiens... Un demi-marathon en avril...

Cette fois, il faudrait plus de précision dans l'exécution. On a beau appeler ça un «demi»-marathon, c'est deux fois ma plus longue distance à vie...

Je me souviens de cet hiver. L'incrédulité qu'on a en sortant si légèrement vêtu dans le froid qui vous mord la peau. Le cache-cou qu'on monte au-dessus du nez... Et qu'on descend cinq minutes plus tard. Les pieds dans la glace pendant les premiers 500 m... puis, 5-10 minutes plus tard, cette bulle de chaleur qui s'installe autour de vous...

J'avais l'impression d'avoir découvert une sorte de secret d'initiés pour passer derrière le rideau du froid. Tous ces coureurs que je voyais depuis des années, sans y prendre garde, habillés comme des ninjas, et que je prenais pour des aliénés ou des masochistes... C'était donc ça, leur truc : trois couches de vêtements et cinq minutes de patience. Le reste des passants transis, qui n'aspire qu'à regagner un endroit chauffé, vous regarde sans la moindre envie.

L'hiver en vérité n'est pas si long. Je veux dire l'hiver qui vous entrave : la neige, la glace, les vents, les tempêtes, les souffleuses, ça dure quoi? Trois mois?

On s'y résigne si bien qu'à la fin, on croit aimer ça. Puis, sans prévenir, le mois de mars vient vous réchauffer comme une récompense. On rentre et on mesure soudain le poids de tous ces vêtements humides en les enlevant. On a porté ça tout l'hiver, on n'en revient pas... Le lendemain, on met ses shorts, on est libéré.

La vraie saison peut commencer.

La mesure

Ma première montre « de course » n'avait qu'une seule fonction véritable : m'avertir au cas où mon cœur serait sur le point d'exploser. Il y avait un chronomètre, évidemment. Mais surtout un moniteur cardiaque.

Être à bout de souffle, c'est une chose. En voir l'expression chiffrée en direct, c'en est une autre. Quand, la première fois, le signal électronique ne se rend plus à la montre et que les battements disparaissent du petit écran qu'on a au poignet... Comment dire ? On sent le besoin de se faire rassurer...

On rajuste le moniteur sur sa poitrine, un peu nerveux, et le chiffre réapparaît. On n'est pas si mort qu'on pensait.

Comme le dit Jean-Yves Cloutier, quand on court « à l'instinct », on court forcément trop vite. On pense s'améliorer en courant plus vite chaque jour. Erreur du débutant. Je ne savais pas dans ce temps-là qu'il fallait trouver sa vitesse, ou plutôt ses vitesses. Les courses lentes... Les courses en tempo... Les intervalles rapides...

Je n'avais aucune foutue idée de tout ça et pour tout dire, je ne m'y intéressais pas le moins du monde. Si ce corps sans talent me menait du départ du 10 km jusqu'à l'arrivée dans le Stade olympique avec mon frère, je serais content de lui. Il était hors de question de courir un mètre de plus que 10 km. Et « plus vite » ? Non, ça va, merci, le programme B m'allait très bien. La quête des minutes me semblait pathétiquement juvénile. À mon âge, franchement, battre son record... Pour prouver quoi au juste ? Je n'irais pas chatouiller la mémoire de Zatopek, pas de danger...

Mais voilà, après les 10 km du Marathon, en septembre, j'ai couru la Classique du parc La Fontaine. La plus vieille et peut-être la plus belle course à Montréal. Ce matin frais d'octobre, cette fois, j'ai couru à ma vitesse... et j'ai retranché 12 minutes sur la distance. Tiens, tiens...

J'ai remis ça début novembre... Et j'ai amélioré mon temps de trois minutes encore.

J'avais fait de la course une habitude et j'ai fini par me rendre à l'évidence : hé, je suis un coureur !

Il fallait passer à l'étape suivante. Structurer l'entraînement. Ne pas seulement « faire du temps ». Mais faire les entraînements de vitesse rigoureusement. Et donc, mesurer sérieusement mon effort.

Comment faire des intervalles précis sans un outil de mesure de la distance en direct? Je savais bien qu'à la maison en bois brun, j'avais fait 4 km, qu'à la station-service j'étais rendu à 5, qu'au tablier du pont Jacques-Cartier j'avais parcouru 3 km, etc. On peut mesurer ça en voiture ou sur son ordinateur.

Si je dois faire cinq séquences de trois minutes à 4 min 30 s du kilomètre, par contre, il faut que je puisse les mesurer « pendant que je les cours ».

C'était déjà le mois de décembre, j'étais inscrit au demi-marathon d'avril... Pas le choix, ça me prenait le gadget ultime du coureur contemporain : la montre GPS.

Je sais, Spyridon Louis n'en avait pas au premier marathon de tous les temps. Ni Gérard Côté à Boston, en 1940, ni Abebe Bikila à Rome, en 1960, etc.

Mais quel outil merveilleux! Où qu'on soit sur Terre, un satellite discute avec votre montre pendant que vous courez. Il vous dit combien de mètres vous avez franchis, à quelle vitesse, à quelle altitude si vous y tenez. Ma montre, déjà archaïque, présente quatre fenêtres où je vois en temps réel mon rythme actuel au kilomètre, le temps écoulé, la distance parcourue et le rythme moyen depuis le départ.

Je peux mesurer mes accélérations, leur durée et leur intensité. Les premiers temps, je la branchais sur l'ordinateur pour analyser la course dans ses moindres détails... Ah! j'ai ralenti au 7e kilomètre... il y avait une montée... Et je comparais mes courses successives.

J'ai abandonné depuis longtemps ces lectures maniaques. Mais je ne pars jamais sans ma montre, sans quoi je suis aussi perdu que si je ne connaissais pas les noms des rues. Il faut que je sache où je suis, je veux dire où j'en suis, à quelle vitesse je vais quand je me sens bien, ou mal, ou quand je sens que mon cœur bat trop vite.

Dans une course, surtout, elle me dit de ne pas partir trop vite, elle me dit si je ralentis, elle me dit à quelle vitesse j'ai couru le dernier kilomètre, elle me dit qu'il reste encore 2 km... 1 km... Elle me dit ce que j'ai couru, et où je suis sur la Terre sur laquelle je tourne comme un idiot...

Un jour, peut-être, je retrouverai la liberté ou la sagesse de courir sans mesurer mes pas.

Rivière-du-Loup

C'est ce qu'il y a de bien avec la course. Peu importe la saison, peu importe le lieu, une course vous attend au coin de la rue.

Même coureur solitaire, dans chaque destination il y a quelqu'un pour vous aider à trouver les meilleures routes de son coin de pays.

C'était fin février, j'accompagnais mon fils au tournoi de hockey pee-wee de Rivière-du-Loup. Les tournois de sport, à Montmagny, à Sherbrooke ou à Sorel, sont constitués de peu de sport et de beaucoup d'attente. Sans jamais manquer un match, j'en ai profité pour faire des entraînements récréotouristiques mémorables.

Cette année-là, je préparais mon premier demi-marathon et ce dimanche précis au programme d'entraînement, ma première course de 21,1 km à vie.

Après une première défaite en après-midi, tout le monde retourne à l'hôtel. Le temps est anormalement clément (7 degrés) et on prévoit 15 degrés sous zéro pour le dimanche. C'est le moment de foncer.

J'annonce mon absence pour deux heures à un père compréhensif et je décrète le départ, à la porte de l'hôtel, de la première Classique hivernale internationale de Rivière-du-Loup, dont j'étais l'organisateur et unique participant.

J'avais au préalable appelé un des organisateurs du club de course de l'endroit, Fil-Oup! (contraction de filer et de loup, faut croire), pour qu'il me suggère un éventuel parcours. C'est que cette ville est construite autour et dans une pente.

Dans ma naïveté touristique, je pensais aller du côté de Notre-Dame-du-Portage, superbe site où John A. Macdonald allait prendre le frais, l'été, avec quelques autres membres de l'*establishment* du temps. C'est d'ailleurs de Rivière-du-Loup qu'est parti le plus court et plus fatal télégramme de l'histoire canadienne, signé sir John A., m'a appris Mario Dumont :

« H-A-N-G R-I-E-L »...

Mauvaise idée de courir là en plein hiver pour un nouveau venu, m'a rapidement dit mon expert local. Prendre plutôt Hôtel-de-Ville jusqu'à Lafontaine, tourner à gauche, puis à droite à côté de l'église, sur Beaubien, ça devient la 291 vers Cacouna et Saint-Arsène. Faux-plat agréable.

Les coureurs sont tous les mêmes dans toutes les villes : ils connaissent en détail la topographie de leur bled, ils savent les pièges du trafic, les maisons à chiens, les beautés cachées des chemins de terre ou d'asphalte, les corridors de vent...

À la brunante, j'ai suivi ce trajet savamment dessiné par l'expert local. J'avais l'impression de monter tout doucement, mais sans difficulté. Au bout de 11 km, j'ai fait demi-tour en croyant que je bénéficierais d'une descente tout aussi agréable. Mais c'était un faux faux-plat, il montait dans les deux sens faut croire, une anomalie locale sans doute, et le vent m'a presque immobilisé sur place. Le métier entrait.

La lumière d'un jour gris est disparue derrière une ferme. Dans le maigre accotement, nulle part pour se mettre à l'abri des camions qui me crachaient en passant une eau salée et boueuse pimentée de quelques cailloux. J'en avais jusque dans la bouche, c'en était ridicule et je me suis même mis à rire. En revenant en ville et en passant sur le pont qui enjambe la rivière du Loup, j'avais encore assez d'énergie pour regarder avec ébahissement l'eau glacée se promener dans les anfractuosités.

J'y étais presque. Une petite côte (non, pas petite), allez, hop! J'ai complété les 21,1 km sur le boulevard de l'Hôtel-de-Ville vers 18 h, en face d'un McDonald's, au milieu du trafic du vendredi soir, un endroit pas bucolique pour deux sous. Aucune importance. Je n'avais jamais couru si longtemps et je ne me serais pas senti mieux si j'avais été devant Chartres.

J'étais ému. Je venais de remporter en secret et dans le noir la première édition de la Classique hivernale internationale de Rivière-du-Loup, dont j'étais l'organisateur et unique participant, avec le temps record de l'événement, 1 h 51 min et quelques secondes échappées dans la côte, n'en parlons pas.

Tiens, une goutte d'eau salée sur ma joue droite. Maudits camions.

Se dépasser

L'avantage de commencer à courir sur le tard, c'est qu'on ne cesse de s'améliorer à un âge où les vrais athlètes déclinent désespérément. On en a pour des mois et des années à s'étonner de son amélioration physique.

Un jour que j'accompagnais mon fils à une compétition d'athlétisme à Sherbrooke, j'ai croisé un confrère du secondaire. Le type s'entraînait à 16 ans pour des 800 m et des 1500 m et faisait partie des 15 ou 20 meilleurs au Québec — ce dont je n'avais aucune idée à l'époque. Il courait encore, tout aussi passionné, à l'âge respectable de 46 ans. Des 800 m!

«On ne fait plus les mêmes temps, je suis souvent blessé, la vitesse à mon âge...»

Le type atteint des vitesses pour moi fulgurantes. Mais il se souvient de ses meilleures années. L'an prochain ou dans deux ans, il courra moins vite. Tandis que moi, je n'en ai pas eu de «meilleures années»! J'ai été nul toute ma vie! Je pourrai encore m'améliorer!

C'est une joie de sportif médiocre, j'en conviens. Elle n'en est pas moins authentique. Je n'aspirais pas à une bonification dans un domaine physique quelconque en roulant vers la cinquantaine...

Je n'ai jamais couru aussi vite de toute ma vie. D'accord, c'est surtout parce que je n'avais jamais couru de toute ma vie. Quand même, toutes ces minutes que je vais grappiller sur les diverses distances à force d'entraînement me sont autant de petits trophées intérieurs.

Il paraît qu'on peut espérer s'améliorer pendant sept ans, quand on commence à s'entraîner sérieusement. Il me reste quelques mois pour me dépasser un peu davantage.

Dans la course à pied « de masse » comme je la pratique, on ne court toujours que contre soi. On peut bien vouloir « aller chercher » le gars avec le chandail orange devant, il n'y a rien à gagner à la fin. On ne dépasse personne, on se dépasse soi-même. Comme en plus, on ne part pas tous au même moment, quand on est quelques milliers, ceux qu'on côtoie au milieu d'un demi-marathon peuvent être trois minutes devant ou trois minutes derrière, selon leur rang dans la file.

En allant plus vite que la fois précédente, néanmoins, je « me dépasse ». Je prends la mesure objective de mon dépassement.

Drôle d'expression, « se dépasser ». Ça suppose qu'on passe devant soi-même. On laisse derrière l'ancien soi. On efface son ancien chrono comme on balaie ses anciennes misères. On se trouve meilleur, on en sort comme renouvelé...

Et en même temps, c'est une satisfaction fugace. La vraie marque du dépassement n'est pas entièrement exprimée dans les chiffres. C'est incommensurable. J'ai beau avoir couru tel demi-marathon une minute plus vite que l'année précédente, je ne me suis pas nécessairement dépassé. Peut-être aurais-je pu faire mieux. Oui, ça me revient, au 16e, j'ai ralenti, j'ai failli décrocher... Antoine m'a doublé et m'a donné une tape sur l'épaule, ça m'a réveillé... Il courait plus intelligemment, je suis parti trop vite...

Malgré un nouveau record personnel, je me demande souvent si je n'ai pas laissé traîner une minute quelque part sur le parcours. Les chiffres ne disent que l'apparence du dépassement. Il y a pour chacun une course parfaite à courir aujourd'hui et on ne sait jamais, sur le coup, si on a couru la course de sa vie. La satisfaction pure, si elle existe, ne dure pas. On se dit : je peux sans doute faire mieux la prochaine fois... Il ventait. Il faisait trop chaud. J'ai mal réparti mon effort. Fallait pas attaquer la côte...

Rien pour m'empêcher de dormir. Simplement, en m'entraînant un peu sérieusement, même en ne faisant qu'une demi-douzaine de courses « organisées » par année, j'ai commencé à entrevoir la somme des détails et des obsessions qui doivent habiter la tête des vrais athlètes, ceux qui font métier de se dépasser et de dépasser les autres.

Une blessure, une bronchite, du travail qui vous tient à l'écart une semaine... Ce n'est toujours qu'un agacement. Mais deux semaines? On s'énerve un peu. On s'inquiète.

Ce n'est pas pour rien que les athlètes se gardent bien de serrer des mains quand on les rencontre avant les compétitions. Je me souviens de Cameron Levins, le meilleur coureur de demi-fond canadien en ce moment, qui s'est pris une bronchite entre le 10 000 m (excellent) et le 5000 m (médiocre) des Jeux olympiques de Londres, en 2012. Quelqu'un dans l'équipe lui avait refilé le microbe, on avait assurément repéré le coupable...

Ça va, je n'en suis pas là. N'empêche, je ne veux pas arrêter. Je suis déjà sorti pour faire 18 km avec un début de fièvre. J'ai couru après quelques jours d'impatience malgré un début de claquage du mollet. Toutes choses stupides et contre-productives que je ne recommande à personne.

C'est aussi ça, se dépasser : ne pas écouter son corps qui râle. Refuser ses faiblesses, passer outre ses limites. Ce corps qui vous dit : t'es malade, mon vieux !

Moi, vieux ? Ferme-la, corps. Et viens courir.

Le cadran

Quand il a eu 50 ans, j'ai demandé à mon ami comment il se sentait.

«Très bien, c'est juste que je ne sais pas quelle heure il est.»

Le temps qui reste, aucune horloge ne l'indique.

Six mois plus tard, un très beau jour de printemps, le voici qui débarque chez moi, bouteille d'eau à la main, le cheveu humide.

Il venait de renouer ses souliers de course après des mois au rancart pour cause de blessure.

«Si t'embarques, je m'inscris au Marathon.»

Tu parles, si j'embarque. Je m'étais inscrit la veille sans rien dire à personne. Quelle arrogance, tout de même, m'inscrire à un marathon après seulement trois saisons de course à pied!

C'est vrai qu'on ne sait pas quelle heure il est, dans la vie. Un marathon... De toute évidence, il est plus tard que je le croyais. L'urgence totalement artificielle de courir un marathon s'était imposée.

Après chaque nouvelle course, passée l'euphorie du record personnel, la question surgit :

« Bon, ben... qu'est-ce qu'on fait, là ? Demain, je me repose... Mais mardi ? Je cours quoi mardi, sans plan, sans course à venir ? »

Une vague anxiété m'envahit, qui ne peut être guérie que par un nouveau projet.

Ça prend un parcours. Ça prend un plan pour s'y rendre.

J'ai réalisé ou, plus exactement, je me suis avoué ce printemps-là que depuis très longtemps je ne courais plus du tout pour « être en forme ».

Au début, oui. Les premiers mois, ce n'était pas l'amélioration des performances qui me fascinait. C'était la fin de la suffocation.

À partir de ce moment précis, dès qu'on peut courir 30 ou 45 minutes avec un relatif plaisir, nul besoin d'en rajouter si on veut « être en forme ».

Quand on commence à faire de l'entraînement par intervalles, quand on augmente le kilométrage de sa longue course de 10 à 11 à 16 km, quand on court beau temps mauvais temps, jour ou nuit, on n'est déjà plus dans une optique de mise forme.

On est dans l'univers de la performance athlétique. Même si on conçoit la grossièreté du mot « performance » dès qu'on se compare à de vrais athlètes, la logique n'est pas très différente, la technique d'entraînement non plus : améliorer sa capacité cardio-pulmonaire, renforcer ses muscles, devenir plus endurant, plus rapide...

Et pourtant, à quiconque me parlait de course à pied, je ne manquais jamais de souligner que je courais pour la forme, pour combattre le stress, pour me libérer l'esprit des mille encombrements de l'actualité et de la vie de famille, pour méditer en somme...

Toutes choses rigoureusement vraies.

J'occultais l'évidence : je veux courir plus vite, plus longtemps. De plus en plus vite. De plus en plus longtemps. Je veux être meilleur !

On était donc en avril, je venais de compléter un demi-marathon beaucoup mieux que je ne l'aurais imaginé. Que me restait-il à faire ? Un marathon, bien sûr.

Faut s'exciter un peu.

Je poussais un peu plus loin le bouchon de l'imposture athlétique. Tant pis : j'allais rendre compte de mon entraînement dans *La Presse,* dans un blogue.

«Mais si tu te casses la gueule, si tu rates ton coup devant tout le monde?»

Pas grave. Ça fera une histoire à raconter. Je m'entraîne comme n'importe quel quidam pour son premier marathon, et comme n'importe qui, je peux ne pas y parvenir, me blesser, abandonner en plein milieu. On verra!

L'ami s'est donc inscrit. On a suivi, chacun de notre côté, le programme de Jean-Yves Cloutier. Presque pas couru ensemble. On prenait des nouvelles de loin en loin.

Pourtant, le savoir à l'entraînement, soumis aux mêmes épreuves les mêmes jours, ça me donnait l'impression d'être à la même heure.

Au matin du marathon, nous sommes arrivés sur le pont ensemble, comme n'importe quels débutants, je pense, incrédules et heureux d'y être. On entrevoit à peine les douleurs qui nous menacent, on sait qu'on plonge dans l'inconnu après le 32e kilomètre.

Chacun seul avec son temps.

Dans ce temps-là, j'écoutais souvent l'album *Bleu pétrole* de Bashung. Ça se court bien, pour ainsi dire, et c'est de circonstance.

Hier à Sousse

Demain Paris

Demain Paris

Aucun cadran n'affiche la même heure

Aucun amant ne livre la même humeur

Newton

Mon premier marathon? Ah! j'aimerais tant vous dire que ce fut une épiphanie, un moment de pure transcendance... Tant de récits nous parviennent de vies transformées par le marathon!

Eh bien, désolé... pas moi. Je sais bien, ce n'est pas très poli: j'invite les gens à lire un livre sur la course à pied, la moindre des choses serait de témoigner de l'extase du marathonien.

Ça touche au grandiose, non?

Pas vraiment. Pas du tout, en fait. Pas pour moi. Pour résumer ça vite fait, ce fut une très, très longue course, très belle aussi, avec plein de crampes vers la fin.

«Vous entraîner pour un marathon changera votre vie», peut-on lire dans les livres. N'en mettez pas trop, s'il vous plaît, apôtres de la course de fond et vendeurs de programmes ou de souliers. Ça change un horaire, ça, oui. Ça fait garder la forme et ça aère l'esprit. C'est une «dope» sans pareil et sans effet secondaire.

Soyons sérieux : tu restes à peu près le même nono qu'avant, qui pense défier les lois immuables de la physique et du sport.

Et tu pars un peu trop vite.

Bof! Quelques secondes de plus au kilomètre, quelle différence ? Aucune ! On se sent en pleine possession du secret de la course, on arrive au sommet de sa forme, programmé pour l'événement. Au pire, on ralentira plus tard, non ?

Non. On ne ralentit pas quand on démarre un marathon trop vite. On crève. Tout le monde vous le dit, vous l'avez lu dans tous les livres et magazines, vous n'êtes pas innocent. Généralement, dans les dernières semaines, avec la diminution brutale du volume d'entraînement, on n'a que ça à faire : relire pour la 17e fois les dernières pages du *Complete Book Of Running,* avec tous les conseils de prudence et d'hydratation qui s'imposent...

Je ne compte plus le nombre d'heures passées à relire, comme hypnotisé, des passages, toujours les mêmes, du *Guide de la course du Coin des coureurs,* un livre pas très bon et affreusement mal traduit du fondateur du Coin des coureurs, John Stanton. Je croyais y trouver la clé du marathon.

J'avais parlé à Jean-Yves Cloutier pour mon blogue. Les conseils sont toujours à peu près les mêmes : retenez-vous ! Le marathon est un exercice de gestion de la pénurie plus que de dispersion de l'énergie.

Tout ça, je l'avais appris par cœur. Mais, d'une part, à son premier marathon, on n'a aucune idée de la bonne cadence à suivre. J'avais fait deux demi-marathons en 1 h 41 min, 1 h 42 min... J'aurais dû envisager un marathon en quelque chose comme 3 h 45 min, au mieux 4 h peut-être. Et, d'autre part, notre corps nous dit le contraire de ce qu'on a appris.

J'aurais dû, mais, dans ma tête, roulait cette idée irrésistible : je gagne des minutes à chaque compétition. Ça tombe tout seul ! J'accumulais des records frelatés en enfilade.

Donc... Je valais peut-être mieux, et je ne pouvais pas me fier à mes temps du printemps, non ? Je suivais rigoureusement le programme menant à un temps de 3 h 30 min, en plus. Hé, hé, sait-on jamais ? Si je vaux 3 h 30 min et que je cours trop lentement, ce sera du gaspillage !

La vraie raison des départs trop rapides est toutefois plus banale et plus universelle : il est physiquement impossible d'imaginer à quel point on manquera de tout deux heures et demie plus tard. On se sent magnifiquement bien. On court très en deçà de nos capacités. L'idée de réserver ses énergies pour une éventuelle exténuation est contre-nature. Ne nous apprend-on pas, au contraire, à ne pas remettre à plus tard ce qu'on peut faire immédiatement ? Pourquoi ne pas se débarrasser du kilomètre 7 plus rapidement, quitte à trottiner au 37e ?

Il y a aussi que dans toute course, on se retrouve rapidement côte à côte avec des gens qui, eux, courent « vraiment » au-dessus de leur capacité pulmonaire. Des aventuriers au rythme débridé. « *Oh boy !* Si celui-ci râle au 4e kilomètre, la veillée va être longue », qu'on se dit en prenant quelques mètres d'avance, avec un léger mélange d'empathie et de condescendance.

Et on se frotte les mains en pensant au chrono qu'on est en train de se concocter, ni vu ni connu.

***

C'était au temps où le marathon s'achevait dans le Stade olympique. Le parcours n'offrait pas à voir seulement le plus beau de Montréal, mais, du moins, il n'était pas trop menteur. Le fleuve, les îles, le Vieux-Montréal, le Centre-Sud, le Plateau, le parc La Fontaine, des virages dans le *no man's land* de la rue des Carrières, puis un retour vers l'est.

J'étais justement nulle part, rue des Carrières, et il n'arrivait rien. C'était le 33e kilomètre, j'étais souriant et nullement en train de dépérir.

Et c'est là que Newton et tous les entraîneurs du monde me sont tombés dessus avec les lois immuables de la physique et du sport.

Le mur? Je ne sais pas. Je veux dire que je n'ai pas ressenti ce désespoir raconté par les coureurs, ces étourdissements, ô rage, ô désespoir! ce goût d'abandonner ou de vomir ou de tout ça en même temps.

Mais des crampes, oh! des crampes comme je n'en ai jamais connu et qui jouent au tennis. Du mollet à la cuisse au mollet, et d'une jambe à l'autre. Smash! Re-smash!

Rendu là, il n'y a plus de peloton. Que des coureurs éparpillés. On n'entend même plus le «clap-clap» musical des souliers sur l'asphalte.

On est seul avec ses souliers et ses crampes.

Je crois que j'ai poussé un petit cri. Rien de «sharapovesque», juste un inélégant «adjyoye»! Fallait arrêter. Je n'avais même pas le choix.

Les experts vont rire si je dis que, à part ça, je n'étais pas fatigué du tout. C'est ça, la fatigue, idiot! Je sais, je sais. Je veux dire que je ne transpirais pas comme un damné, je voulais pousser absolument, j'étais de bonne humeur... mais le béton précontraint me montait dans les muscles.

En somme, même l'épuisement, on ne sait pas le nommer. On ne le reconnaît pas, on ne l'a jamais vu sous ces traits étranges. Le réservoir est vide. C'est la première fois, on n'a pas de repère.

Parlant de béton précontraint, n'est-ce pas justement l'œuvre de M. Roger Taillibert qui jaillit au loin, au bout de la rue Rachel?

L'ancien parcours avait ce grand défaut de vous mener au bord de l'oasis et de vous y arracher. En prenant Rachel vers l'est, on voit grossir à chaque pas le stade de Taillibert. Sauf qu'une fois devant le Stade, il fallait s'en éloigner en prenant à gauche sur Pie-IX, monter cette interminable côte et parcourir encore cinq kilomètres assassins. J'ai dû arrêter trois, quatre fois pour faire passer les crampes en marchant.

J'étais loin des 3 h 30 min depuis longtemps, les 3 h 45 min n'étaient plus à ma portée. Peut-être 3 h 50 min?...

On arrive à Pie-IX. Des gens crient mon nom. Hé! Mon frère, mes sœurs sont là! Mon grand frère a couru 200 m avec moi. Je ne sais pas si vous avez déjà couru avec votre grand frère et des jambes en ciment, mais c'est à essayer. J'ai eu la gorge serrée, ça m'a «décimenté» passablement et je me suis mis à accélérer sur Pie-IX.

Sauf que Newton et tous les entraîneurs imaginaires du monde entier m'ont doublé sur la gauche : euh, s'cuse, mais on te signale à nouveau que tu as défié les lois immuables de la physique et du sport. Ralentis, bonhomme.

Comme si j'avais le choix.

Voici l'entrée du Stade. Je cours comme je peux. Oh ! presque quatre heures. Non, ça, il n'en est pas question. Juste comme j'entrais en accélérant de la plus pathétique manière, mon fils est arrivé sur la piste pour courir les derniers 100 m. Ma peau était couverte de sel et de frissons.

À ma montre : 3 h 59 min.

Ouf, l'honneur est sauf. En marchant comme un cowboy qui porte son cheval sur le dos, je me disais déjà : j'ai hâte au prochain.

Le temps

Mais... mais... comment trouver le temps de courir? Comment courir quand il y a tant à faire?

Je ne parle pas des gens qui ont deux emplois, trois bébés, dont un qui ne fait pas ses nuits, un hamster à tondre et une pelouse à nourrir.

Ça peut attendre... Un jour, le plus vieux pourra garder les autres au moins une demi-heure sans risque majeur de conflagration. Je parle en connaissance de cause.

La popularité de la course à pied n'a pas seulement à voir avec la peur de vieillir. Elle a aussi à voir avec le vieillissement de la population. Du vide spirituel, peut-être même. Des fois, j'ai vaguement l'impression de prier du dieu païen avec mes pieds.

Laissons de côté les cas particuliers et la métaphysique et regardez-moi bien dans les yeux.

Dites-moi sans rire ni pleurer que vous n'avez pas deux heures en sept jours pour courir. Huuum?

Trois ou quatre sorties d'une demi-heure, trois quarts d'heure, c'est ce qu'il faut pour courir un

5 km en souriant au bout de 10 semaines, même en partant à zéro. Pour un 10 km, on y arrive sans peine en mettant environ deux heures et demie, trois heures par semaine. Rien de trop accaparant, n'est-ce pas?

C'est quoi, deux heures et demie?

Une partie de golf de neuf trous? Deux émissions trépidantes de *L'heure des quilles*? Une séance débilitante *d'Occupation Double*? Une audition à la Cour suprême retransmise sur CPAC? Un lunch d'affaires plate (ou pas)? Un cocktail? Un 5 à 7? Une partie de poker sur Internet?

C'est fou ce que les gens se donnent comme peine pour ne pas avoir le temps de courir.

Il suffit de penser à tout ce qu'on fait dans une semaine pour prouver mathématiquement qu'on a le temps.

Mais oui, des fois ça veut dire partir le midi et manger un sandwich les cheveux mouillés à son bureau. Ou, quand tout le monde est couché, se planter une lampe sur le lobe frontal et affronter la nuit...

Je défie quiconque n'a pas le temps d'ouvrir la porte de la maison pour voir ce qui se passe vers 21 h 11, un mardi soir... Ah! c'est vrai, il faut absolument écouter l'analyse d'après-match d'un ancien joueur de hockey... Entreprendre une bagarre urgente sur Twitter... Envoyer de nouvelles photos de sa recette d'épaule de porc sur Facebook...

Ah! j'avoue, la vie moderne nous laisse peu de temps libre, c'est terrible.

Je ne parle même pas ici de s'entraîner pour un marathon. Simplement de courir pour le plaisir et éventuellement aller participer à une course ici ou là. Je parle des programmes accessibles à tous les débutants.

En vérité, même un entraînement de marathon ne prend pas plus sept heures par semaine. En comptant que l'on consacre deux à trois heures le dimanche (disons), ça veut dire trois ou quatre autres sorties de 30 minutes à (rarement) une heure et demie.

Je connais des mères de trois jeunes enfants et des présidents d'entreprise qui y parviennent. J'en connais qui se rendent au travail ou qui en reviennent de temps en temps en courant pour « placer » leur course dans leur horaire autrement démentiel. Si l'on habite à 10 km de son travail, en joggant on mettra quoi, une heure, une heure et quart pour rentrer à la maison?

Je dirais en fait que plus on est débordé et accablé par la vie domestique et professionnelle, plus on a de raisons de trouver ce temps qui ne demande qu'à être recyclé.

Ce temps-là n'est tellement pas perdu. Il est volé à mon horaire de fou. Mardi midi? Ah non, désolé, je ne peux pas manger avec vous, j'ai… quelque chose. Je ne dis pas que je vais m'entraîner, ça pourrait froisser l'interlocuteur. Mais que je suis pris. Y'a rien à faire.

Ces foutus lunchs d'ailleurs, je plains tellement ceux qui doivent s'en farcir pour leur travail, pour les affaires, pour «réseauter» (quel horrible concept). C'est pour cette socialisation imposée autour d'une table que je n'ai pas trop de temps, moi. J'essaie de réserver ça aux gens que j'aime, on ne les voit jamais assez.

Et puis surtout, surtout, ces heures de course, mine de rien, améliorent les autres heures de cet horaire. Je travaille mieux, je pense mieux, je mange mieux.

Bref, j'en suis venu à la conclusion soudainement que je n'ai absolument pas le temps de ne pas courir.

Le père

Nous n'étions pas ce qu'on appelle une famille de sportifs et l'exemple venait de haut. Mon père était jadis un fin hockeyeur d'après ma mère. Ce devait être très, très jadis.

De mémoire d'enfant, il n'a jamais pratiqué le moindre sport, à moins d'inclure dans la définition de « sport » la cueillette de champignons, les baignades en eau glacée après un sauna, la pêche à la truite ou la chasse à l'orignal.

Quelle surprise ce fut un beau matin de le voir enfiler un survêtement Adidas bleu marine pour aller faire du « jogging ». C'était l'époque où le gouvernement lançait les premières campagnes de mise en forme et où on espérait que la tenue des Jeux olympiques à Montréal allait faire des Québécois « *quelque chose comme un grand peuple* » de sportifs.

Un projet à long terme, assurément.

Nous avions un cousin pionnier de la mise en forme au Québec, ayant été un des fondateurs d'un centre d'entraînement aérobique. Il avait converti mon père momentanément.

Je me souviens d'avoir vu mon père dans cet accoutrement pas très seyant une seule fois. Il était revenu au bout de 20 minutes, quelques gouttes de sueur sur le front et un sac en papier graisseux dans les mains. Il contenait un pain chaud et une douzaine de formidables croissants au beurre tout chauds. Personnellement, je trouve que les croissants au beurre sont une source de motivation sous-estimée et je déplore qu'aucun livre de course n'aborde la question.

Pour lui, la vie était trop courte pour se soumettre à la torture volontaire. Des générations de chasseurs-cueilleurs avaient vécu sans recourir aux artifices de l'exercice abstrait, détaché du monde réel je veux dire, sans autre but que l'exercice en soi. Non, vraiment, courir pour courir, sans vouloir attraper une bête, fuir un ennemi ou prendre le bus, cela ne rimait à rien et contredisait toute l'expérience anthropologique.

Les marches en forêt pour cueillir un lièvre dans un collet avec l'oncle Armand, pour ramasser les bolets qu'un ami italien lui avait appris à identifier ou pour contrôler avec un calibre 12 la population de gélinottes huppées en Abitibi, voilà des moyens parfaitement raisonnables, humains et biologiques de se tenir en forme.

De toute manière, dès qu'il sentait poindre les idéologues du bien-être ou du bien-manger, il se rebellait. Je soupçonne que c'est par pur esprit de contradiction envers la science médiale officielle qu'il a fumé si longtemps, si mal et avec si peu de conviction. Ses cendriers étaient pleins de mégots de Player's sans filtre dont n'avaient été tirées que cinq ou six « touches ».

Les problèmes de cœur, les siens notamment, n'avaient pour lui qu'une seule cause : le stress. En somme, c'est l'âme qu'il fallait consoler avant, plutôt que de faire suer ce pauvre corps, dépositaire de toutes les misères psychologiques.

Il aurait détesté le genre de lectures que j'ai fréquentées ces dernières années et souvent je pensais à lui avec un sourire en lisant les poncifs des apôtres du courir-plus et du manger-mieux.

« J'aurais voulu écrire un livre sur la perte de poids, mais il ne tenait qu'en une phrase et l'éditeur l'a refusé », raconte parfois John Bingham, auteur-vedette du jogging américain qui a eu un succès fou en racontant ses aventures sympathiques d'ancien-obèse-fumeur-devenu-coureur-médiocre-mais-enthousiaste-en-commençant-par-me-rendre-au-lampadaire-au-coin-de-la-rue.

La phrase en question ? « Bougez plus, mangez moins. »

Tellement une vérité américaine... Une vérité première, incontestable... Je vois d'ici mon père faire la moue. Le chemin était un peu trop évident, justement.

Un jour que quelqu'un riait d'un obèse à la maison, il nous avait tous un peu sciés en concluant au passage, très délicatement : «Les gros sont pleins de larmes.» Pour lui, ça se passe ailleurs que dans le frigidaire et au gym...

C'est ainsi qu'il abandonna définitivement la course à pied, mais jamais le pain chaud et le beurre.

L'abandon

Souvent, j'ai rêvé d'abandonner. Au 6e kilomètre d'une course de 10, disons, quand tu te demandes à quoi ça rime. Pourquoi courir pour des secondes, à mon âge avancé, quand on n'a pas la moindre chance de se distinguer sérieusement?

Mais je continuais. Je continuais d'orgueil. Je continuais parce que je me disais que c'était normal, que ce n'est pas censé être facile ou agréable, sinon on appellerait ça le pédalo — encore qu'il y a des courses de pédalo —, ce qui prouve que l'être humain est attiré de toute éternité par les quêtes inutiles et la souffrance auto-infligée.

Je continuais parce que je savais qu'à la fin je serais content d'avoir continué, ce qui est encore la seule manière connue de finir.

Puis, ça m'est arrivé un jour d'octobre, dans ce qui demeure ma course préférée, les 10 km de la Classique du parc La Fontaine.

Matin d'octobre frais, demain le sol va peut-être geler, mais aujourd'hui on est juste du bon côté de l'automne. Au départ, souvenez-vous, ça sentait les feuilles, le record et le parfum sucré.

J'ai donné ma veste à mon fils. J'ai fait ma préparation. Notre gourou lui-même était là. Je suis allé me placer dans la file.

Merde! J'ai laissé ma pompe dans ma veste... Où est mon fils?

Bah! pas grave, je ne fais pas d'asthme ce matin...

Tout de même, si jamais... Je l'ai toujours au cas où, c'est un peu agaçant de courir sans filet. Le simple fait de ne pas l'avoir est d'ailleurs souvent un déclencheur, un psy vous le confirmera.

J'ai cherché mon fils du regard. Il n'était nulle part et c'était le coup de fusil.

Parti à la vitesse prévue, j'avais à peine fait 500 m que je sentais le sifflement du moteur...

Un kilomètre, deux kilomètres, trois kilomètres... Je perdais des secondes, même à l'oreille... ça se voyait.

J'aurais pu finir, mais à quoi bon finir dix minutes «trop lent» et à l'agonie? J'ai arrêté.

C'est très étrange, abandonner.

On ne sait pas trop quoi faire de son corps. On se range sur le trottoir. La masse des coureurs passe à côté de vous comme surgie d'un monde parallèle. On est comme un noyé qui décide de se laisser couler. On entend encore les bruits du fond de l'eau, mais ce monde-là nous est étranger. On ne respire pas le même oxygène.

Le clapotis des pas sur le bitume... les cris d'encouragement... tout vous parvient comme si vous aviez de l'eau plein les oreilles.

Bon, là, on fait quoi?

On marche dans les coulisses de l'événement. On s'écarte du trottoir et de la frénésie. On arrive au milieu de nulle part.

J'ai l'air fin, moi, au milieu du parc La Fontaine avec mon dossard et ma tête d'épagneul qui a perdu son lièvre et qui cherche son chasseur.

Y a-t-il une sortie de secours? Faut-il feindre une crampe pour se donner un peu de contenance? On ne nous apprend pas l'abandon!

De toute manière, il n'y a personne pour vous regarder, le parc est vide, sauf pour deux marcheurs avec leur tuque qui ont hâte que leur parc soit débarrassé de tous ces agités.

J'approche finalement de l'arrivée. Si je m'approche trop, je risque de passer sur le lecteur électronique... On enregistrera mon temps, on croira que j'ai triché pour battre le record du monde de trois minutes, que j'ai pris un vélo, le métro, une auto, comme le vainqueur du marathon olympique à St. Louis...

Je vais où?

Je fais un long détour pour me retrouver dans la tente où une bénévole me tend un sac de fruits. Merci madame. Elle me regarde en feignant l'admiration : vous êtes rapide, vous êtes le premier !

Je sors avec mon sac de fruits et ma valise d'excuses. J'ai hâte que la foule se forme autour de l'arrivée, pour habiller ce décor où je suis un peu trop nu.

Et au bout du compte, contre toute attente, je me suis senti bien. J'ai pris ce que m'a donné ma journée. Tout ce qu'il y avait dedans, c'était quatre kilomètres et des sifflements.

Et puis, c'est utile d'en rater une comme il faut, d'aplomb. Ça fait aimer un peu plus les anciennes et les suivantes.

Les secondes

Bon OK, j'avoue, j'avais dit « j'arrête ». J'avais dit « j'hayïs ça », avec un *y*.

J'avais dit : Si je cours le 5 km en moins de 20 minutes, je prends ma retraite. J'aurai réalisé mon objectif. On passe à autre chose. Le 5 km, c'est pour les jeunes, moi je veux juste aller à Boston. Y'a aucun plaisir là-dedans, 5 km. Tu pars… déjà t'as plus d'air. Et tu meurs sans arrêt.

Je me revois l'autre été à Old Orchard… Parce que, oui madame, il y a des gens qui se faufilent hors de la maison à la barre du jour un dimanche matin de vacances dans le Maine pour aller courir 5 km à en cachette, en chuchotant : je vais prendre une marche sur la plage, chérie, reste couchée…

Je me revois à Old Orchard, donc, où j'avais repéré une course de 5 km à faire avec mon fils. J'avais décidé de régler le cas à cette foutue distance une fois pour toutes, incognito.

Rien de trop extravagant. On ne demande pas un record de la Nouvelle-Angleterre, ni de médaille. Juste d'aller visiter un instant la zone interdite : qu'y a-t-il sous les 20 minutes ?

Après, on retournera au demi, au marathon, des trucs de vieux.

Ils annonçaient le *mile* (1609 m) et j'étais dans les temps. Déjà une petite voix (c'était un râle, en vérité) me disait : tu n'y arriveras pas.

Juste au son, comme vous savez, on peut distinguer le coureur qui va casser à cet « arheu, arheu » distinctif.

Chaque kilomètre fut plus lent que le précédent. Avec toujours cet espoir fou de voir le rythme moyen s'en aller vers le bas. Ça n'arrive évidemment pas, quand on démarre sur des présomptions...

À la fin, un gars d'au moins sept ou huit ans plus vieux est venu me rejoindre pour me dépasser. Je l'aurais laissé faire, mais je l'ai reconnu, je l'avais vu fanfaronner au départ, c'était un Québécois. J'ai *sprinté* comme un fou. Lui aussi. Peut-être l'est-il plus que moi. Il est arrivé devant d'une seconde ou deux.

Salaud.

Et pourquoi, tout cet énervement ? « Pour quoi ? » Pour un temps inutile : 20 min 28 s.

Pas vraiment proche. Pas vraiment raté. Inutile.

« J'hayïs » les 5 km.

***

Après un long hiver, je croyais bien, mars venu, défoncer le chrono. LaSalle est le premier rendez-vous de la saison. Fin mars, ils arrivent de partout au Québec, et même de LaSalle, pour en découdre enfin, après ces mois de gel.

D'habitude, ça sent un peu le printemps. Pas cette année-là. Il faisait très beau... et on se gelait par moins 9 degrés.

Et moi, eh ben, personne ne s'est donné la peine de m'énerver. J'ai agonisé de kilomètre en kilomètre pour finir en... 21 min 32 s! Sept mois d'entraînement ininterrompu pour en arriver là? Une minute de plus!

À Saint-Laurent, deux semaines plus tard, je suis arrivé avec un mélange d'exaspération et d'ambition renouvelée. C'est une drôle de course, Saint-Laurent.

On y rencontre le député fédéral du coin, Stéphane Dion, qui court chaque année avec des bas blancs tirés jusqu'en haut des mollets et un chandail très rouge.

Cette fois, aucune excuse, le temps était parfait (7-8 degrés). Je suis parti plus tranquillement... pour arriver en 20 min... 16 s.

On écrit 20 min 16 s, et vous dites : bah ! ce n'est rien que 17 petites secondes à retrancher, hein ?

Pas du tout. C'est «hénaurme», 16 secondes, sur un 5 km, c'est 4 secondes de trop du kilomètre !

Et on court à bout de souffle tout le long ! Elles ne sont nulle part à aller chercher, ces foutues secondes, on est «au bouchon» du début à la fin !

Merde, je n'y arriverai donc jamais.

On remet tout de même ça un matin de juillet, sans gloire ni conviction.

C'était sur le parcours chauve du Quartier DIX30, ce complexe commercial bétonné à ciel ouvert en banlieue de Montréal. Un endroit sans verdure, sans ombre, sans âme, certes... Mais superbement plat. Les coureurs obsessifs en viennent à subordonner toutes les considérations esthétiques et sociales à l'optimisation du parcours. C'est déplorable, j'avoue.

Cette morne plaine serait-elle mon Waterloo anglais ?

Faut pas foncer, faut pas forcer trop vite...

Après le premier kilomètre... Hé ! 3 min 55 s et sans souffrir... Et si ça y était ?

Ça y était. À 4 kilomètres, j'en étais presque certain. Et à 200 m de l'arrivée, c'était dans la poche, j'avais une bonne douzaine de secondes en réserve.

Ah! la sensation!

J'ai alors fait cette chose infiniment voluptueuse: j'ai très légèrement levé le pied. Je n'ai rien précipité. Je ne voulais pas «mon meilleur temps possible». Je voulais n'importe quel temps sous les 20 minutes.

J'ai ralenti juste assez pour me venger de toutes ces secondes de punition qu'on m'avait infligées, course après course.

J'ai jeté trois ou quatre secondes sur le trottoir. Je les ai écrasées. Juste pour goûter l'instant bien comme il faut. Prendre la mesure de cette distance maudite.

L'écran disait 19 min 57 s. La puce 19 min 49 s. Peut-être que le secret, c'est de ne pas y croire trop, trop... Ça empêche de tout donner trop tôt...

Vous savez ce qu'il y a sous les 20 minutes? L'incroyable satisfaction d'avoir bien réparti son effort.

On est drôlement fait, quand même. Cinq minutes plus tard, dans la voiture, mon fils me demande si je prends ma retraite, tel que je l'ai annoncé.

« C'est la première fois que je ne déteste pas cette distance. Peut-être que je pourrais faire 19 min 30 s... Tu crois que je pourrais faire 19 min 15 s ? Imagine 18 min 59 s... »

On remet ça, OK ?

Les souliers de
Caballo Blanco

François Bourdeau sort un t-shirt de son sac. «Micah True courait avec ça, c'est sa blonde qui me l'a donné.»

Le Montréalais est ému. Il essaie de résumer pour moi la série chaotique de hasards qui a mené cet ancien fumeur du fond d'un fauteuil à bascule jusque dans les canyons de la Sierra Madre, où il a partagé des heures de course, des repas, plein de silences et une amitié avec le Caballo Blanco.

Le Cheval blanc : c'est ainsi que les Indiens Tarahumaras ont surnommé Micah True, un Américain venu s'installer chez ce peuple de coureurs, dans le Copper Canyon, en bordure de la Sierra Madre au Mexique, aussi bien dire nulle part.

True et les Tarahumaras ont atteint un statut mythique depuis que le journaliste Christopher McDougall en a raconté l'histoire dans le best-seller *Born to Run*, en 2009.

True, ancien hippie d'Hawaï devenu boxeur puis ultramarathonien, s'est installé dans cette région désertique. Il y organisait depuis 2006 une course de 80 km qui fait trois boucles autour du village d'Urique, entre des Tarahumaras et des coureurs invités personnellement par le Caballo. Ils étaient 420 Tarahumaras en 2012 et 80 étrangers, dont François Bourdeau.

Le livre de McDougall raconte que ces Indiens du canyon, dont plusieurs vivent dans des villages inaccessibles par la route, sont des coureurs-nés. Jeunes ou vieux, ils courent des kilomètres chaque jour. Leurs jeux consistent en des courses interminables autour d'une balle en bois.

Quelques promoteurs américains avaient recruté des Tarahumaras pour participer à des ultramarathons dans les années 90. Ils ont renversé tous les experts en remportant les épreuves de 100 km en rigolant et, surtout, en courant avec des sandales en cuir.

Après avoir été montrés comme des animaux de cirque, ils sont rentrés dans leurs terres. Et Micah True les y a rejoints. Ce serait au monde extérieur de venir les voir, sur leur terrain, de leur apporter du maïs, d'entrer en contact avec leur culture.

Micah True est mort au cours de l'hiver 2012, quelques semaines après la septième présentation de cette course pour initiés.

Dans un café du centre-ville, François Bourdeau sort une paire de sandales de son sac. Les fameuses huaraches. J'imaginais de légères galettes de cuir. Tu parles : elles pèsent une tonne. La surface est en cuir. Mais la semelle est faite d'un morceau de pneu de voiture.

Le livre de McDougall a lancé une controverse autour des souliers et de la manière de courir. Sa thèse centrale est que la capacité de courir de longues distances est un facteur décisif de l'évolution de l'espèce humaine. Ainsi pouvait-on chasser des bêtes qu'on finissait par épuiser.

De même, nul besoin de souliers rembourrés pour courir : le pied et tout le corps, en fait, sont merveilleusement adaptés à cette activité. Trop de coussins autour du pied endorment les muscles et éventuellement blessent le coureur. Le livre est bourré de références scientifiques, mais la sandale des Tarahumaras est une sorte de preuve : voilà le degré zéro de la protection. Et pourtant, ils gagnent des ultramarathons avec ça !

« C'est vrai qu'ils courent avec ça, mais ce n'est pas religieux, faut pas exagérer, dit Bourdeau. Offre-leur une paire de Saucony pour voir... Ils vont la prendre ! »

Bourdeau était un sédentaire qui avait 40 livres (18 kg) en trop il y a une dizaine d'années. « J'ai décidé de changer, j'ai mis une paire de souliers et je suis parti courir. J'ai couru... 35 secondes! J'en étais presque malade. Mais j'ai trouvé ça libérateur.»

Seul problème, il se blessait sans arrêt. Il arrêtait. Puis recommençait. Et se blessait. Jusqu'à ce qu'il trouve sur Internet ce qu'on disait de la course *nu-pieds.* «Ça m'a forcé à changer ma technique et à courir au bon rythme.»

Depuis ce temps-là, il a augmenté ses distances jusqu'à faire son premier marathon, en 2010. Pas particulièrement rapide: 4 h 15 min. Mais il ne se blesse plus. Et court des ultramarathons (50, 80 km, etc.). Et il a remis ses souliers. «Au Québec, on n'a pas vraiment le choix.»

Il a commencé à tenir un blogue sur la course (FlintLand). Et un beau jour, un certain Micah True a demandé d'être son ami Facebook. Il avait lu *Born to Run* et n'en revenait pas. True ne répondait jamais à ses questions. Mais un beau jour, l'invitation est arrivée: viens donc courir au Copper Canyon avec nous.

Il est parti cinq semaines avant la course. Avion, train, autobus, le voilà dans Bahuichivo, village perdu, au mois de février. Caballo Blanco est dans un ranch des environs, par hasard.

«Tu fais quoi demain? Je vais te montrer les environs.»

«Il m'a dit qu'il allait courir 40 km, je n'étais pas prêt, mais va donc dire non à Caballo Blanco. Il court avec une force incroyable, avec une foulée courte, en lançant sa bouteille d'une main à l'autre. Il ne ralentit jamais dans les montées. Il respire fort comme un train à vapeur.»

Il a vécu cinq semaines avec lui, à ne jamais trop parler. Mais à tout partager. Il lui a présenté les gens des villages, qui l'accueillaient en frère. «Ils jouaient du tambour pour son arrivée. Il n'essayait surtout pas d'être un guide touristique. Il n'amenait jamais personne là-bas.»

Arrivé là avec sa montre GPS, ses gels et ses théories, Bourdeau est revenu avec un bracelet en laine, un esprit libéré des performances et aucune envie de mesurer ses temps.

«Il ne me faisait pas de remarques. Il avait une philosophie qui tenait en deux mots : *run free*. Cours en liberté. Va dehors. Respire. Fais ce que tu aimes sans compter tout le temps.»

Un jour, il aperçoit les vieux Saucony de True dans son camion, troués de partout. «J'ai pris une aiguille, des *patchs* de matelas gonflable et, pendant une demi-journée, je les ai réparés sans lui dire. Il m'a pris dans ses bras.»

Depuis, le manufacturier lui en a envoyé de tout nouveaux, tout beaux. Vous pensez bien, quelle belle vitrine, ce mystique de la course, célèbre malgré lui, court en Saucony...

Le jour de la course, il faisait 38 degrés. Bourdeau a fini parmi les derniers, en 15 heures (le gagnant fait ça en 7 h 20 min). «J'ai juste vécu une journée extraordinaire, dans un endroit où la course est au cœur de la culture depuis toujours.»

Trois semaines plus tard, Micah True est disparu pendant une de ses courses dans le canyon. On l'a retrouvé deux jours plus tard. On suppose qu'il a eu un malaise cardiaque dû à une malformation. On n'en est pas bien sûr.

Ce qu'on sait, c'est qu'il avait eu le temps de s'étendre sur le dos, les pieds dans la rivière, et qu'il regardait le ciel. C'est comme ça qu'il est mort.

Et dans les pieds, au lieu de la nouvelle paire, il portait ses vieux souliers, *patchés* par François Bourdeau.

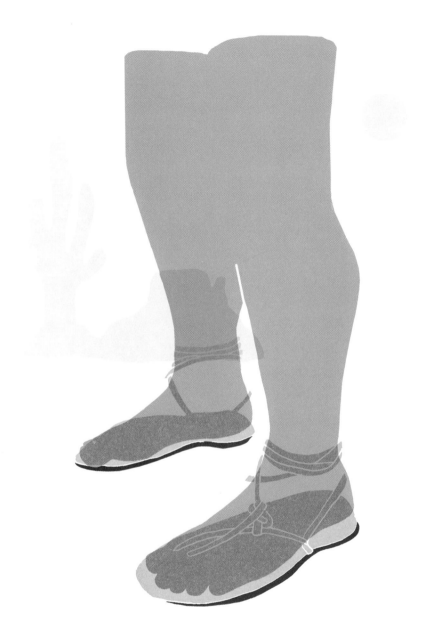

Le coach

Le lecteur fin psychologue aura sans doute compris dès à présent que je n'ai pas eu besoin d'un groupe de soutien ou d'un DVD de motivation pour me faire courir.

Une inscription à une course, un programme, une montre, une paire de souliers et quelques heures grappillées à gauche et à droite : c'est tout ce dont j'avais besoin pour me rendre à la ligne de départ d'un demi ou d'un marathon.

Ma vie est assez pleine de rendez-vous à heures fixes, à l'école, à l'aréna, au travail, à la station de télé, en reportage... N'allez pas me surajouter un «loisir» avec un groupe, je vous en supplie. Au secours !

L'idée seule m'horripilait. La course est le sport idéal de l'humain esclave d'un horaire qu'il a lui-même surchargé. Elle se glisse un peu partout et rares sont les journées où on ne peut pas courir une heure quelque part entre 6 h et minuit. Aussi ai-je rapidement disqualifié les experts qui prescrivent une course toujours à la même heure, pour la digestion, le métabolisme et Dieu sait quelle autre baliverne.

Je cours quand je peux. Je ne veux rien savoir d'attendre quelqu'un dans la fenêtre d'une heure 17 minutes qui s'offre à moi, et encore moins de faire attendre quiconque parce que j'ai reçu un appel de dernière minute.

Et vous voudriez qu'en plus je paie un gars, un chrono à la main, pour crier après moi au milieu d'un groupe de 25 personnes? Euh... Merci, ça ira...

Les disciples vouent souvent à leur entraîneur un culte qui n'est pas loin de l'adoration des membres d'une secte, ou qui rappelle le transfert par lequel les patients tombent amoureux de leur psy. Après mon premier marathon, plein de gens autour de moi me disaient: tu devrais aller voir Dorys! Bon, bon, OK. Si je ne suis pas obligé de me présenter aux rendez-vous de la secte, je veux bien qu'il me dresse un programme sur mesure.

Dorys Langlois, auteur du 10ᵉ meilleur temps québécois au marathon (2 h 20 min 36 s à Houston, en 1989), a été un des meilleurs coureurs de fond canadiens de sa génération.

A été? Il l'est encore, de toute évidence, puisqu'il n'a jamais cessé de courir. J'en ai eu un échantillon à ma première rencontre, sur la piste intérieure de l'Université McGill, aux fins d'évaluation. Il s'agissait de courir pendant une minute et demie, puis de se reposer pendant une minute et demie, puis de courir à nouveau, mais un peu plus vite, pendant une minute et demie, et ainsi de suite.

«Jusqu'à ce que tu ne sois plus capable.»

J'ai oublié de préciser que c'est le maître qui fixe le rythme en courant tout juste devant. Après quelques séquences, j'ai râlé que je n'en «ppppouvhhhais» plus. Il s'est retourné et a arrêté son chrono. J'étais dans un état de décomposition avancée, couvert de sueur, haletant. Lui, sec et frais comme s'il venait de se lever au milieu d'un déjeuner sur l'herbe, prenait négligemment des notes sur son bloc-notes tandis que j'imitais les chutes du Niagara, en plus salé.

«Mes *objecthhhifs*? Là tout de suite, je prendrais une gorgée d'eau *sivouplais*...

— Boston d'ici cinq ans? Oui, c'est faisable.»

Comment ça faisable? J'ai payé pour entendre ça, moi? Non, moi je veux qu'on me dise: Boston? Pourquoi cinq ans? Je t'emmène là dans un an! Fa-cile.

Mais c'est un coach honnête qui ne manufacture pas de l'enthousiasme à rabais en gros volume. Ce n'est pas un adepte du «rah-rah-rah» ou du positivisme bon marché. J'en ai vu courir à vélo aux côtés de leurs disciples, hurler le long des lignes comme autant de Patrick Roy... Chacun ses goûts, remarquez bien. Ce n'est pas le style de la maison.

Il a commencé sa carrière en entraînant des chevaux à Blue Bonnets, étonnant ce milieu en appliquant aux bêtes les principes de l'entraînement d'athlétisme. Il en a gardé l'habitude d'économiser les mots. Ou, plus probablement, a-t-il toujours été de ceux qui préfèrent donner à penser plutôt que de tout expliquer jusque dans les moindres détails.

Avec Dorys, jamais de solution toute faite. Pas de sermon. Il n'enseigne pas, il inocule. Il induit doucement la technique sans jamais l'expliciter. Sauf, bien sûr, si on lui demande. La réponse est prête. L'argument, scientifique, arrive en une phrase, comme une parabole avec laquelle on peut jongler des heures et des jours. On pose plein de questions, surtout avant une course. Les paroles sont mystérieuses et nous renvoient à une sorte de méditation, même après deux ou trois sous-questions : qu'est-ce qu'il veut dire par «sous-optimal»?

Je commence désormais un nombre inquiétant de phrases par «Dorys dit que...»

Si trois disciples vont courir un marathon à Albany, espérant se qualifier pour Boston, il ne dira pas : «Go, les gars, vous êtes capables!» Mais plutôt : «Vous savez que dans un marathon, deux coureurs sur trois sont déçus de leurs temps.» Hein? Qui donc d'entre nous sera content? On se regarde… Ce qui est une façon de nous dire: la meilleure manière de se planter, les *boys*, c'est d'aller en auto à trois, de se gonfler tout le long du voyage de quatre heures, de se trouver bons et de partir en malades. Une façon de dire aussi: n'oubliez pas que c'est juste un marathon. L'important, c'est d'aimer courir.

Never too high, never too low…

Il sourit peut-être quand on lui écrit après la course: «Devine quoi? On s'est qualifiés tous les trois…»

Au détour d'une fin de course de 5 km, un dimanche matin à Coteau-du-Lac, qui est là à attendre ses coureurs? Hein? Dorys! Il court 500 m avec celui qui passe (sec! frais! toujours!). Il lui parle tranquillement au moment où il allait décrocher. Le coureur se dit, sachant que le coach entraîne quelques-uns des meilleurs au Québec: Hein, il court avec «moi»?

On l'aime, le coach.

Avant

La nuit d'avant un marathon n'est jamais bonne parce que tous les livres sur les marathons disent que la nuit d'avant un marathon n'est jamais bonne. Alors, soit parce que cette idée empêche le coureur de dormir, soit parce que le coureur fait exprès de ne pas bien dormir pour respecter à la lettre ce que prescrivent les livres, on ne dort pas bien.

Quel est le connard qui a écrit ça en premier?

«Dormez bien l'avant-veille, car vous ne dormirez pas bien la veille», disait mon livre. Ce genre d'injonction n'est pas de nature à me faciliter le sommeil. Ça fait donc deux nuits ratées. Personnellement, je me suis fait la règle suivante, beaucoup plus réaliste: il est primordial de bien dormir au moins une fois dans les quatre mois précédant un marathon.

De toute manière, voulez-vous bien me dire à quoi peut vous servir un sommeil profond quand on doit se réveiller à 4 h du matin?

Les marathons démarrent souvent à 7 h. Ça suppose de se rendre sur place au moins une demi-heure à l'avance. De déjeuner au moins deux heures, mais si possible trois heures avant. On aura assez de problèmes avec ses jambes et ses poumons, mieux vaut laisser son estomac en dehors de cette histoire.

Et le stress? On n'a pas parlé du stress. Il vient surtout des conseils qu'on vous donne pour éviter le stress. Préparez tous vos vêtements la veille! Vérifiez vos souliers! Votre montre! Une banane! Buvez du *Gatorade* même si vous n'avez pas soif! Les chaussettes! Vos gels! La température! Faut-il des gants? Avez-vous un moyen de transport? Avez-vous appelé trois fois la compagnie de taxis de Philadelphie pour être absolument certain qu'ils ont noté votre adresse?

Si le meilleur moment de l'amour, c'est en montant l'escalier, le pire moment de la course, c'est en le descendant vers 5 h 13 en essayant de ne réveiller personne, quand il fait noir et qu'on n'y croit pas vraiment.

Manque plus qu'un petit crachin de printemps qui fait des gouttes sur la fenêtre de la chambre du motel de Mississauga qui donne sur le conteneur... Quand je pense qu'il y a un marathon à Florence. Mississauga! On dirait une chanson de Tom Waits... *Everywhere I go it rains on me...*

C'est l'heure où une des quatre épingles à couche servant à attacher le dossard sur votre chandail vous glisse des doigts et tombe dans une fente du plancher. L'heure où l'on fait un double nœud au soulier gauche, pour le défaire parce qu'il est trop serré, et encore une fois parce qu'il ne l'est pas assez.

On a un flash de cet entraînement pénible, deux semaines plus tôt... J'ai peiné à courir 10 km de moins, 20 % plus lent... Quelle idiotie, tout ça...

On arrive au départ perclus de doutes. Les gens sautillent. Le soleil s'est levé. Il fait presque beau. On se remet à y croire.

Croire à quoi ? À l'alchimie de l'entraînement qui transforme l'homme-roche en coureur comme on ferait de l'or avec du plomb.

J'étais une roche, avant. J'ai des témoins : je vous jure que j'étais une roche. Et voilà que j'avance. Ce n'est pas normal. Il y a un truc, je vois bien. Lequel ? Je ne l'ai pas encore compris. C'est caché quelque part dans les programmes de course à pied.

Tu mêles des longues courses lentes du dimanche à deux séances d'intervalles de vitesse la semaine, tu coinces des moyennes courses lentes au milieu, et au bout de quelques mois, ça te fait courir à une vitesse impensable à l'entraînement. Et sans s'évanouir. Et mystérieusement.

Il y a toujours un animateur de course au départ pour nous dire dans un porte-voix qu'il reste cinq minutes... avant. Le maire ou le député de l'endroit est là pour donner le départ. Les gens s'agglutinent de plus en plus.

Toutes sortes de pensées vous envahissent. *Quelle idée j'ai eue de boire du jus de betteraves toute la semaine parce que j'ai lu un résumé d'étude sur les bienfaits de ce légume stupide? Je me sens mal... Je n'aurais pas dû manger un risotto hier... Si ce gars en train de jongler en courant me dépasse, je le plaque... Je me sens mieux... Je pense que je peux faire mon meilleur temps... Si je meurs, qui va faire le ménage de mon bureau? Quand je pense qu'ils ont écrit la Déclaration d'indépendance des États-Unis ici... Je me demande ce que Benjamin Franklin penserait des marathons... Ou de la commission Charbonneau... C'est affreux, les bas de compression...*

La sirène retentit et on n'est plus... avant. On ne fait pas toujours son meilleur chrono. Mais en moyenne, l'alchimie de l'entraînement vous mène là où vous ne vous attendiez pas devant le cadran de l'horloge. Et dans un état d'insoupçonnable bien-être.

Voilà pourquoi on vénère le coach comme un mage. Après.

La banque

Une journée parfaite, un 17 novembre, c'est un luxe. Un jour de marathon, c'est un signe...

Signe de quoi? De record, voyons.

Je vogue de record en record à chaque marathon. Trois marathons, trois records personnels.

Oui monsieur, même au premier.

J'ai évité les quatre heures de quelques secondes la première fois à Montréal en 2009; l'année suivante à Ottawa, j'ai retranché 12 minutes; et en 2011, à Mississauga, 15 autres minutes. Je «valais» désormais 3 h 34 min!

Et ça, au mois de mai... Donc, en novembre, avec un bon entraînement, je pouvais espérer faire 3 h 29 min à Philadelphie et me rapprocher de Boston. (Quand tu passes par Mississauga et Philadelphie pour aller à Boston, tu sais que ton aventure n'est pas assise sur des fondements rationnels solides.)

Je suis donc là avec mon ambition, mes temps en banque, mes gants et quelques tremblements de circonstance. Il y a le musée d'art, la statue de Rocky derrière, l'hôtel de ville devant, et plein de minutes à aller grappiller.

Je pars sur un rythme de 5 minutes du kilomètre, en me disant que j'allais voir...

Ce n'est pas ce que j'ai fait. J'ai gardé obstinément l'allure et quand, au demi-marathon, j'ai vu que j'étais à 5 min 1 s, j'ai poussé un peu plus pour descendre à 4 min 59 s...

Eh, j'avais trois marathons d'expérience, je ne craignais plus les murs. Je savais, quoi!

Je me suis retrouvé côte à côte avec un gars roulant au même rythme. Ça crée des liens... Tu vises quoi? 3 h 30 min, que je réponds. «Moi aussi!» (Il avait l'air très étonné, comme si un incroyable hasard avait placé à côté de lui quelqu'un courant «à la même vitesse» et ayant «les mêmes objectifs de temps»!)

«On court ensemble?» L'offre semblait honnête. Pourquoi pas? Au bout de 500 m, je l'ai laissé filer en le saluant. Trop vite.

Ah! merde, je perds des secondes. Je me remets à pousser. Me retrouve à 5 min 1 s.

Nouveau compagnon. Vise lui aussi 3 h 30 min. Quelle originalité... On commence à courir ensemble.

C'est là que j'ai décroché complètement. On était au 26e kilomètre. Mes jambes n'avançaient plus. Or, je le précise pour ceux qui n'auraient jamais couru de marathon, c'est très important les jambes, surtout après le 26e kilomètre.

Ben là, je n'en avais plus.

J'ai vérifié, en forçant un dernier coup pour accélérer : rien. J'allais à 5 min 45 s... J'ai demandé en vain autour de moi : z'auriez pas vu des jambes traîner ?

Voilà l'histoire classique du gars qui se prend pour un vétéran et qui se plante.

L'histoire d'un gars qui a arrêté d'avoir peur. Je veux dire : peur de partir trop vite — j'ai toujours un peu peur de mourir avant un marathon, quand même, mais ça ne donne rien.

Je l'ai dit, il faisait un temps sublime dans cette ville qui n'est pas sans charmes. J'ai joggé jusqu'à la fin sans me battre avec les secondes. J'ai tout de même fini devant le gars qui courait en jonglant avec trois balles — un reste d'orgueil.

Je n'ai plus pensé au temps perdu (j'ai raté l'objectif de 17 minutes).

J'ai goûté au temps qu'il faisait. Et j'ai laissé filer

le temps perdu sous mes pas sans amertume. J'ai pris des notes.

On ne le met pas en banque pour un retrait éventuel, le temps de course. Il est toujours à conquérir.

Benoît

On le voit le dimanche avant le lever du soleil, au plus noir de janvier, qui arrive à l'aréna municipal, sifflet au cou, bouteilles d'eau à la main, sourire aux lèvres. On le voit débouler les samedis de juin au terrain de soccer en rigolant, un filet de ballons à la main.

«OK, les cocos, oubliez pas, on est là pour S'A-MU-SER!»

Benoît, c'est le type même de l'animateur modèle des loisirs municipaux. Gagne ou perd, ça se fait dans l'honneur et la rigolade.

Ça fait bien six ans que je le croise de parc en aréna, c'est à croire qu'il a 10 enfants, et pourtant il n'en a que deux, mais il est toujours à entraîner des enfants ici et là.

Ça faisait six ans que je le croisais, mais depuis un an, je ne le reconnaissais plus. Un samedi, nous étions à Ottawa en famille. Un joggeur s'arrête devant moi, tout sourire... «Salut Yves!»

Qui c'est, ce type? Je fouille dans ma banque de données: aucune image correspondante. Je bredouille des excuses.

«Tu ne me reconnais pas, hein?»

Il est content qu'on ne le reconnaisse pas, je crois. Il est habitué, en tout cas. Il a perdu 45 kilos en un an et demi.

Benoît était un gros qui s'ignorait.

Il s'ignorait: je veux dire que, à passer sa vie à s'occuper des enfants des autres, il ne faisait pas trop attention à lui. Hot-dog, beigne, poutine, le menu d'aréna lui allait très bien. On le voyait gonfler à vue d'œil, de match en match et de saison en saison.

Si bien que, sans trop s'en rendre compte, il avait atteint les 270 livres (123 kg). Pour un type de 5 pi 7 po (1 m 70), ça fait beaucoup à placer. Ça aussi, il l'ignorait.

«C'est fou à dire, je savais que j'étais gros, mais pas tant que ça. Je veux dire que je ne me voyais pas gros. Et je pensais que les autres ne me voyaient pas gros. J'allais à l'aréna dire aux jeunes d'avoir un mode de vie sain et actif, et je ne me rendais pas compte qu'ils me voyaient comme j'étais: en bonhomme Michelin.»

Son médecin lui disait de perdre du poids, mais bof, tout allait bien, sauf peut-être l'été, à la plage. Il n'avait aucun problème qu'un grand t-shirt ne pouvait régler.

121

Et en 2007, à 41 ans, le matin d'un autre rendez-vous chez le médecin, avant d'aller se faire dire les mêmes choses qu'il n'écouterait que distraitement, il est monté sur le pèse-personne.

L'aiguille est sortie de l'écran.

«C'était comme dans les bandes dessinées. Il n'y avait plus de chiffres!»

Une demi-heure plus tard, en colère, il est entré dans le bureau du médecin. «C'est aujourd'hui que ça se passe. Donne-le-moi, le numéro de ta nutritionniste.»

Il était temps: le médecin lui avait diagnostiqué une «obésité morbide grade 4». Ce que ça veut dire, c'est qu'il avait la pression au plafond et qu'il était une bombe humaine sur le point d'imploser.

Tout a commencé par l'alimentation. Puis, il s'est mis au mouvement elliptique au gym pendant huit mois, trois, quatre fois par semaine. En mars 2008, il avait déjà fondu à en être méconnaissable. Il a commencé à suivre un programme de course. Juste pour voir.

Il a si bien vu qu'il a fini par faire le Marathon de Montréal, l'an dernier.

Je l'ai vu peu de temps après. Il s'était surentraîné et avait couru en 4 h 45 min, à s'écœurer à jamais de la course à pied.

Aussi, ce samedi-là, quand je l'ai vu en coureur, je ne l'ai doublement pas reconnu. «Je cours le marathon demain, je viens repérer le départ.»

Mes enfants ont vu passer leur ancien entraîneur le lendemain matin. Je ne sais pas s'il les a entendus, c'était dans le brouillard des derniers kilomètres. «Vas-y, Ben! Ouais!»

Il a fini en 3 h 50 min, presque une heure de mieux qu'à Montréal huit mois plus tôt.

On le reconnaît de moins en moins.

Un soir, avant de se coucher, mon plus jeune a bondi dans son lit et m'a regardé avec des yeux ronds comme l'ancien Benoît.

«Tu sais ce que ça veut dire, papa, l'histoire de Benoît?

(Qu'est-ce qu'il va me sortir?)

— Non. D'après toi?

— Ça veut dire que, dans la vie, il y a toujours de l'espoir!»

Et il s'est couché, fier d'avoir trouvé une morale à l'histoire.

Parfois, oui, c'est vrai, il y a toujours de l'espoir. L'impossible est une chose assez mouvante, quand on y pense.

Et puis c'est incroyable ce qu'un homme joyeusement en colère peut accomplir.

Les Miclette

Il y en a qui partent en croisière en Alaska. Il y en a qui vont à l'hôtel Chicoutimi. Il y en a plein d'autres qui ne font rien du tout, parce qu'après tout, 50 ans de mariage, ça ne court pas les rues...

Les Miclette, eux, ont fêté ça en courant les rues, justement, celles du Marathon de Boston, en 2009.

Albert, 72 ans, et sa femme Huguette Miclette, 67 ans, ont couru pendant 4 h 51 min 3 s côte à côte. Ils ont franchi la ligne d'arrivée exactement en même temps.

Il y a eu des mariages célébrés le jour même, il y a eu des fiançailles, il y a eu toutes sortes d'événements au Marathon de Boston. Mais en 113 ans d'histoire, les organisateurs n'avaient jamais vu de gens venir y célébrer leurs noces d'or.

Car ne s'inscrit pas qui veut au plus ancien marathon au monde. Il faut d'abord se qualifier dans un autre marathon accrédité pour avoir son billet de départ. Ce que les deux coureurs avaient déjà fait plus d'une fois.

Pour Albert Miclette, même à 72 ans, un marathon en près de cinq heures est loin d'être un exploit. Il a commencé à courir à 56 ans et, dans ses 78 marathons en 16 ans, il court généralement sous les 3 h 45 min, ce qui satisferait amplement la plupart des amateurs de 30 ans de moins...

«Je lui ai fait perdre une heure, déplore Mme Miclette. Moi, je voulais qu'on coure chacun à son rythme, mais il a insisté pour courir en même temps. Je lui ai dit: OK, mais parle pas trop. Je deviens chialeuse quand je suis fatiguée...»

Alors, ils ont couru coude à coude, sans trop parler et face au vent, sans jamais penser à arrêter, un peu comme ils ont mené leur vie, tout près, tout près. M. Miclette avait son petit commerce d'horlogerie et de bijouterie à la maison. Sa femme y travaillait aussi. C'est là qu'ils ont élevé trois enfants.

«C'est un peu démodé, 50 ans de mariage, mais j'ai trouvé ça pas mal moins long que le marathon!» dit Mme Miclette.

«Je lui ai dit: Si t'arrêtes, j'arrête, on court ensemble jusqu'à la fin», poursuit Albert.

Ensemble, donc, mais pas exactement coude à coude, en fait. Albert courait juste un pas derrière, pour être certain que sa femme coure à son rythme, et pas au sien. Et à chaque passage mesuré de 5 km, il allongeait le pas pour avoir exactement le même temps qu'elle.

«Je suis horloger, vous savez...»

Boston est le plus vieux marathon annuel au monde, le plus mythique aussi, et un des plus difficiles, tout en côtes et en vents contraires et contrariants.

Ils ont marché Heartbreak Hill, au 32e kilomètre. Puis, ils ont repris la course. Cette fois, Albert courait un pas devant pour tirer Huguette vers l'arrivée.

Boston est un des plus difficiles. C'est aussi un des plus festifs. Tout le long du parcours, un demi-million de Bostoniens se massent pour crier. Et à la fin, un corridor humain accueille tout le monde.

«Ça vient te chercher... Mais je me disais: si je pleure, je ne serai peut-être pas capable, j'essayais de rester concentrée», lance Mme Miclette.

Elle n'a pas pleuré, ni lui, enfin pas tout de suite. Ils se sont pris par la main, Albert, 72 ans, et Huguette, 67 ans, et ils ont mis le pied sur la ligne d'arrivée à la même seconde.

M. Miclette est une sorte de phénomène qui a simplement commencé à courir un beau matin, en voyant des joggeurs sur une plage de Floride, à

56 ans. Il fait régulièrement 120 km par semaine, court chaque jour, sauf une vingtaine par année, et peut courir sept ou huit marathons bon an, mal an. Sans parler des ultramarathons de 50, 100 et même 160 km…

«Je n'ai pas de talent, je n'ai jamais fait de sport, mais j'ai une maudite tête de cochon!»

À 58 ans, un chien lui a sauté dans le dos et l'a fait tomber. Il s'est fracturé un poignet et une jambe. Fini, la course, lui a dit le médecin. Ah oui? M. Miclette a couru en boitant («c'est comme si je marchais dans un trou à chaque pas»), on lui a finalement enlevé la pièce de métal et les vis qu'il avait dans le fémur, et il a fait ses meilleurs temps sept ans plus tard…

Huguette n'est pas moins étonnante. À 37 ans, on lui avait diagnostiqué une anomalie à une valve du cœur. «Je marchais avec une pilule de nitro dans la poche», dit-elle. Elle était à la limite de l'angine. J'avais tellement mal au cœur que je ne pouvais pas dormir sur le côté gauche.»

Elle a changé son alimentation, commencé à marcher tranquillement. Elle se sentait bien. Mais la course? Elle n'y pensait même pas. Jusqu'à ce qu'Albert commence à courir… Tiens, je vais essayer ça, moi aussi, s'est-elle dit à 51 ans.

«Je trouvais ça tellement dur! Je courais d'un poteau de téléphone à l'autre. Puis, Albert m'a dit: Essaie d'en faire deux! Ça m'a pris trois mois avant de faire un kilomètre sans arrêter!»

Quatre ans plus tard, d'une course à l'autre, elle a complété le premier de ses 16 marathons (dont trois à Boston). Elle qui pensait ne pas être capable de courir tout simplement...

«C'est pas une question de talent, dit M. Miclette. Je n'ai pas de talent particulier. J'ai jamais trouvé ça ben facile, j'y ai toujours mis de l'effort. Il n'y a pas de truc là-dedans, il faut manger de l'asphalte en masse!»

Pour en manger, il en mange. En 2007, à 70 ans, M. Miclette a couru 7305 km. Quand il revient de sa course sans fatigue, il se pose des questions. Trop facile? S'il fait un gros temps, s'il grêle ou s'il neige, il est encore plus satisfait. «J'aime les défis.»

Merci, M. Miclette, on avait deviné...

Mais dites-moi, ce n'est pas un peu malade, cette histoire?

«C'est peut-être malade, mais mes médecins trouvent que c'est une bonne idée! Il y en a même un qui s'est mis à courir à cause de moi. On me demande si je suis suivi par un médecin; je dis oui, j'en ai trois, quatre qui courent en arrière de moi! Je suis bien plus en forme qu'à 40 ans. Vous savez, on travaille assis, et puis les enfants, tout ça vous trotte dans la tête... La course, ça m'apporte de la santé, de la résistance pour tout le reste... Et je sais pas comment le dire autrement, je me sens bien. Mais c'est pas une question de talent. Il y a beaucoup de gens qui ont beaucoup de talents, mais qui n'en font rien.»

Ce lundi d'avril 2009, quand ils ont mis le pied tous les deux sur la ligne d'arrivée, ils se sont embrassés. Ils ont pensé au chemin parcouru depuis 4 h 51 min et quelques secondes et depuis 50 ans bientôt, les côtes, les creux, la fatigue et le vent dans le visage, si souvent. Ils souriaient. Ce fut une belle course.

Ils courent encore, d'ailleurs, quelque part sur le bord du Richelieu.

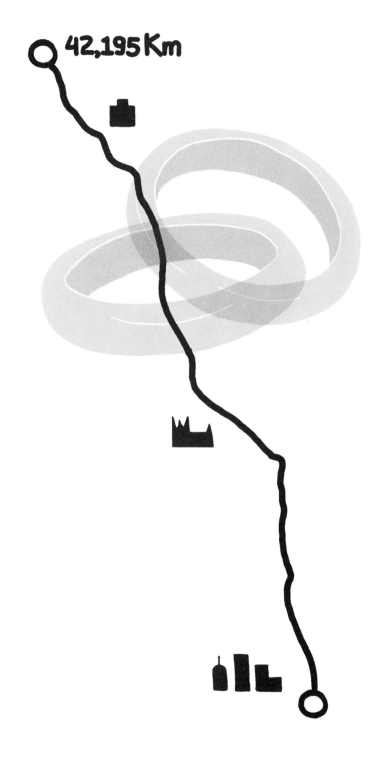

42,195 Km

Finir

La journée avait mal commencé. Enfin, « mal », entendons-nous : les Jeux olympiques de Londres allaient tellement bien qu'après une semaine, j'en étais venu à oublier les vicissitudes de la météo et de la vie dans une grande ville.

Ces soldats qui souriaient en vous passant à la fouille, ces transports qui ne connaissaient jamais de retard, ces salles de presse toujours bien organisées, ce beau temps presque suspect...

C'était donc ça, la vie olympique à Londres ?

Ça ne pouvait pas durer. Le deuxième dimanche des Jeux, je couvrais pour *La Presse* le marathon des femmes. Ce devait être un des moments forts des Jeux. La Britannique Paula Radcliffe, détentrice du meilleur temps historique sur la distance (2 h 15 min 25 s), avait rendez-vous avec sa ville et avec l'histoire. Toujours malchanceuse aux JO, elle avait fini troisième à Berlin en 2011 ; il y avait donc de l'espoir malgré ses 38 ans.

Une blessure au pied l'a forcée à déclarer forfait une semaine avant l'épreuve. Zut.

Bah! qu'importe! Pour moi, c'était un premier marathon olympique. Deux jours plus tôt, avec l'entraîneur Dorys Langlois, j'avais parcouru une boucle du parcours qui faisait le tour du Londres historique trois fois pour finir sur le Mall, tout juste devant Buckingham Palace.

En sortant de l'hôtel, le matin, j'étais déjà excité. J'aurais dû me douter que la rencontre avec 25 Hare Krishna en toge orange allait présager une série d'inconvénients qui constituent ce qu'on appelle généralement «la vie», que j'en étais venu à oublier dans cet environnement hyperorganisé.

Dans le métro, 10 minutes plus tard, une grosse Anglaise avec des Union Jack tatoués sur les joues m'a écrasé un pied pour me confirmer que ce serait une journée parfaitement ordinaire.

La preuve, pour la première fois depuis une semaine, il s'est mis à pleuvoir au moment précis où j'ai surgi de la bouche de métro. Le temps des derniers jours m'avait convaincu que la réputation pluvieuse de Londres était largement exagérée. Il m'avait surtout convaincu de ne pas traîner de parapluie. Arrivé 10 minutes plus tard devant l'entrée des médias, il fallait comme de raison qu'on ait placé là le premier militaire antipathique.

«Vous permettez que je me place sous la tente en attendant la fouille?»

Il y avait plein d'espace pour m'abriter, mais la consigne était implacable.

«Non monsieur, restez hors de la tente. Il pleut sur moi aussi.»

Nous étions à 10 cm l'un de l'autre, tout juste à l'extérieur de l'abri. Le soldat me dévisageait avec un mélange de stoïcisme et de joie perverse. Sur son ciré glissait superbement chaque goutte de pluie, tandis que mes vêtements de coton se gorgeaient de dizaines de litres d'eau de la plus humiliante manière.

On pouvait entendre un délicat «floutche-que-floutche» quand je suis finalement parvenu à la salle de presse. Un collègue italien à côté de moi me regardait avec une compassion exagérée.

«Ben oui, y pleut! Ben non, j'ai pas de para-pluie!»

Le bon côté, c'est qu'ensuite, on peut renverser un café instantané refroidi sur son pantalon et que ça ne change vraiment pas grand-chose.

J'ai commencé à lire les notes du service de presse.

Parmi les anecdotes qu'on fournit aux journa-listes pour remplir leurs articles ou les moments creux de la description, on pouvait noter celle-ci : Constantina Dita, la Roumaine qui avait remporté l'or à Pékin à 38 ans, avait ce jour-là 42 ans et 195 jours. Le marathon, comme vous savez, est une course de 42,195 km.

Dès la course commencée, plus personne n'a pensé à Mme Dita, qui n'était nulle part.

Cinq Africaines couraient devant et après 30 km, la vraie course pouvait commencer.

Tiens, une Russe. D'où sort-elle, cette blonde ?

Ce n'était pas Liliya Shobukhova, une des meilleures du circuit et deuxième temps au monde en 2012. Cette Russe-là avait abandonné. C'était une quasi-inconnue, Tatyana Petrova Arkhipova.

Au moment critique de la course, quand le réservoir se vide, que les Africaines avaient 10 grosses secondes d'avance et augmentaient le tempo, laissant de plus en plus loin derrière la masse souffrante des autres un peu moins surdouées, juste là, il a fallu qu'un Russe se trouve sur le bord de la Tamise.

Un Russe anonyme qui a crié en russe : « Va les chercher, Tatyana ! »

Elle y est allée.

Une Éthiopienne a décroché. Puis une Kényane. Bientôt, il restait deux Kényanes, dont la favorite Mary Keitany (meilleur temps en 2012). Une Éthiopienne, Tiki Gelana. Plus la Russe. Les Kényanes se parlaient. C'était leur chance, enfin, deux sur quatre, le Kenya aurait sa médaille d'or au marathon féminin...

Sauf que la Russe a suivi.

Avec une deuxième demie trois minutes plus rapide que la première, l'Éthiopienne a réalisé un nouveau record olympique (2 h 23 min 7 s), ce qui est toujours relatif dans une discipline où la température et le terrain varient.

Ils diront que c'est la pluie, mais c'est le marathon, finalement : l'épreuve où les records ne veulent pas dire grand-chose et où l'imprévisible est toujours à prévoir.

Imprévisible ? Pas tant que ça. Gelana a le deuxième temps de l'année. La Kényane Priscah Jeptoo, en argent, est vice-championne du monde. La profondeur de talent des équipes éthiopienne et kényane est telle qu'on pourrait y engouffrer presque tout le reste de la course de fond mondiale.

Gelana nous a montré le pansement sur son coude : quelqu'un l'a touchée comme elle allait chercher de l'eau, elle est tombée assez raide sur l'asphalte.

«À quoi avez-vous pensé ensuite?

— À ne plus tomber!»

Des fois, c'est simple la course...

Elle vient du mythique village de Bekoji, comme tant d'autres champions éthiopiens.

«Y a-t-il d'autres coureurs dans la famille?

— Mes parents, mes frères et sœurs... Tout le monde court, c'est un mode de vie.»

Petrova Arkhipova, elle, a dit que sa carrière au 3000 m steeple (quatrième à Pékin) lui a bien servi pour piler dans les flaques d'eau.

Elle vient d'un village qui s'appelle Karak-Sirmy, 750 km à l'est de Moscou. On y marche quatre kilomètres le matin et quatre kilomètres le soir pour aller à l'école.

«Ça donne de l'endurance», dit-elle.

Cela s'appelle revenir de loin. Elles reviennent toutes de loin, à courir 200 km par semaine.

Dans la salle, un homme souriait à pleines dents. Il s'appelle Mikhaïl Kuznetsov, c'est son entraîneur. Il parle le russe, mais il gesticule l'anglais.

Trois! disaient ses doigts. C'est ma troisième médaille au marathon, monsieur (Yegorova, or en 1992, argent en 1996).

Bravo, monsieur, vous faites un beau métier ont bredouillé mes mains.

Je suis sorti de la salle de presse, le soleil était revenu et je pensais au luxe incroyable de nos vies où l'on peut courir un marathon pour le plaisir de «se dépasser», de se mesurer, de se mettre en forme, enfin bref, par une sorte d'hédonisme déréglé.

Une femme était assise à l'écart, avec un entraîneur roumain. Elle avait l'air de souffrir. C'était Constantina Dita. Elle venait de terminer en 2 h 41 min. C'est fulgurant, 2 h 41 min, si vous voulez mon avis. Mais quand on a pris la médaille d'or à Pékin en 2 h 26 min, finir 86e aux JO suivants en 15 minutes de plus, c'est toute une dégringolade...

Oh! ce qu'elle doit être déçue!

Pas un seul journaliste pour recueillir ses états d'âme. Personne, en fait, puisque l'entraîneur s'était éloigné. Elle était dans sa chaise à se masser les jambes.

«Comment allez-vous, Mme Dita?

Son visage s'est illuminé.

— Ah! je suis tellement contente d'avoir terminé. J'avais mal au dos, mais j'ai couru jusqu'à l'arrivée. Non vraiment, je suis très satisfaite. »

Et grand sourire.

Elle avait 42 ans et 195 jours, elle a couru les 42,195 km jusqu'à la fin. Elle était authentiquement contente.

Une femme qui courait le demi en 1 h 8 min, qui travaillait en usine en Roumanie entre deux courses.

D'autres auraient trouvé cette fin de carrière olympique indigne et auraient abandonné. Elle avait au contraire l'ambition de l'amateur moyen : se rendre à la ligne d'arrivée. Survivre à la douleur. Et être fière d'y parvenir.

L'expression de cette joie aussi simple que vraie m'a pris totalement par surprise. Ça ne cadrait pas du tout avec le schéma narratif olympique. Vous savez, le frisson de la victoire et l'agonie de la défaite, tout ça...

Une championne n'est jamais censée se trouver contente de « juste finir » malgré un mal de dos. Elle, si! J'aurais voulu lui dire que je la trouvais formidable, mais je ne savais pas trop comment et de toute manière, l'émotion m'a coupé la voix. Il y avait une beauté tout à fait inattendue dans cette satisfaction du travail fait jusqu'au bout, cette... participation.

Je l'ai saluée très rapidement et lui ai tourné le dos avant d'être ridicule d'émotion.

Ce fut une journée formidable, à bien y penser.

Le métier

Nous sommes à la conférence de presse qui suit le marathon des femmes des Jeux olympiques de Londres.

Les trois médaillées sont devant nous. Après quelques questions prévisibles sur le déroulement de la course, les stratégies, les surprises, la pluie, enfin bref, après le sport à proprement parler, pourquoi ne pas explorer l'âme des athlètes?

Ça fait de meilleurs papiers.

Un journaliste italien prend une pose philosophique et y va de gestes de circonstance. «Mais... le marathon, n'est-ce pas une métaphore de la vie, avec ses hauts et ses bas, ses moments euphoriques et ses désespoirs?»

Priscah Jeptoo, la Kényane de 28 ans qui venait de gagner la médaille d'argent (et rater l'or par cinq secondes), l'a regardé comme s'il venait d'une autre planète.

Une métaphore? Tu déconnes, Umberto? Non mais, sérieux, tu trouves que j'ai une gueule à faire des métaphores?

Elle n'a pas dit ça vu que c'est une femme d'une infinie délicatesse. D'une voix qu'on entendait à peine, une voix qui venait de l'autre bord de la planète marathon, elle a dit très simplement :

« Non, c'est mon travail, courir... Une médaille d'argent, ça va changer ma vie, je vais pouvoir faire vivre ma famille, notre avenir est assuré. »

C'était dit sans exclamation ni reproche. Un simple état de la situation. Elle ne court pas pour la beauté du geste, se dépasser, ou en attendant de faire un vrai métier. Le marathon, c'est son *job*, sa planche de salut social même.

La liste des explications sur les succès phénoménaux des coureurs de fond kényans et éthiopiens s'allonge chaque année : l'entraînement en altitude, l'habitude de courir chaque jour pour se déplacer, les différences physiologiques dans la longueur des fémurs, etc.

Tout ça est bien vrai, sans doute, mais tout ça ne serait pas grand-chose s'il n'y avait pas ceci au départ : faire partie de l'élite de la course à pied est un formidable outil de promotion sociale. Ça peut vous sortir de la pauvreté, comme d'être champion de basketball dans le Bronx ou joueur de hockey surdoué à Thurso, Québec.

Cameron Levins, un des meilleurs coureurs de fond que le Canada ait produit depuis longtemps, a fini 11ᵉ au 10 000 m à Londres, après s'être maintenu jusqu'au dernier tour parmi les meilleurs. N'allez pas lui suggérer que certains Africains sont peut-être prédisposés à la course de fond.

« Est-ce que les Canadiens sont génétiquement prédisposés à être de bons joueurs de hockey ? Je ne pense pas », dit-il.

Tous les coureurs kényans ne sont pas des olympiens. Encore que... Des 150 meilleurs chronos de marathon dans le monde en 2011, 144 ont été réalisés par des Kényans. Et sur une population de 42 millions, 278 hommes ont réussi le « standard A » de la Fédération internationale d'athlétisme pour se qualifier aux Jeux olympiques (2 h 15 min ou moins). Au Canada, en guise de comparaison, trois hommes ont couru sous la barre des 2 h 15 min en 2011 et deux seulement en 2012.

Tous les coureurs de fond kényans ne sont pas de calibre olympique, mais de la masse des coureurs, une élite d'une profondeur inépuisable se dégage et semble se renouveler à l'infini.

Si elle vient d'une autre planète, toutefois, ce n'est pas tant parce que Priscah Jeptoo est consti-tuée d'une fibre extra-terrestre. C'est plutôt parce que, vu de chez elle, des gens qui disent courir pour méditer sur la vie, pour se détendre, pour manufac-turer des métaphores ou pour échapper aux vicissitudes de la vie professionnelle, enfin bref, pour le pur plaisir de la chose, ces gens-là doivent avoir vaguement l'air de venir de l'espace intersidéral...

Après des victoires dans des marathons de troisième zone, puis une au marathon de Paris en 2011, suivie d'une deuxième place au Championnat du monde d'athlétisme en 2011, cette médaille d'argent aux Jeux olympiques lui assure non seulement une commandite sportive de haut niveau, mais des invitations lucratives partout où elle voudra pour le reste de sa carrière.

Voilà ce qui s'appelle gagner sa vie et assurer l'avenir de sa famille. Dans un pays où le chômage atteint 40 % de la population et où le PIB par habitant est de moins de 1000 $ (contre 46 000 $ au Canada), on ne court pas nécessairement après la même chose.

Quand Priscah Jeptoo court, ce n'est pas pour se fabriquer un espace de liberté individuelle. C'est juste pour gagner sa vie — ce qui est un autre chemin de la liberté.

De Fabre à Côté à Gareau

En 1970, quand le Comité international olympique décida que les Jeux olympiques de 1976 auraient lieu à Montréal, il n'y avait en ville aucune piste d'athlétisme de 400 m à dimension olympique — avec les huit couloirs.

On partait de loin, sinon de rien, mais la présentation des Jeux au Québec allait permettre de développer une certaine culture de l'athlétisme, c'est du moins ce qu'on espérait.

Toute une génération d'athlètes est issue de ce mouvement des années 1970. Il a produit quelques coureurs d'exception, comme Jacqueline Gareau qui a remporté le Marathon de Boston en 1980, et qui fut une des plus grandes athlètes que le pays ait connues.

Après? Disons qu'en observant le dernier quart de siècle, on ne peut pas dire que l'athlétisme ait tellement progressé au Québec. Personne ne semble avoir pris le relais de la «génération olympique». On n'a pas implanté une vraie tradition, en somme.

Et pourtant, l'histoire de la course à pied au Québec n'est pas sans gloire. En 1915, Édouard Fabre

146

remportait le Marathon de Boston en 2 h 56 min. Figure énigmatique, Fabre avait fui l'orphelinat montréalais où son père l'avait abandonné pour aller se faire adopter par des Mohawks de Kahnawake. C'est là qu'il avait découvert les joies de la course à pied et, en particulier, de la course en raquettes dont il allait devenir le champion incontesté jusqu'au début des années 1930.

La course était réservée aux vrais athlètes et il ne serait venu à l'idée de personne d'en faire un loisir — encore qu'avec les semaines de travail à l'époque, ce genre de passe-temps n'était pas vraiment envisageable. Les journaux des ces années-là commanditaient ces courses et Fabre était un héros populaire au même titre que certains joueurs de hockey.

Il n'est donc pas totalement renversant d'apprendre que quelque part dans la campagne de Saint-Hyacinthe un enfant appelé Gérard Côté ait décidé d'imiter Fabre et ses rivaux.

Il fut un des plus grands athlètes québécois de tous les temps. Il était en son temps une grande vedette du sport, mais qui connaît Gérard Côté aujourd'hui?

L'homme de Saint-Barnabé a gagné quatre fois le Marathon de Boston, il en a détenu le record du parcours quelque temps en plus de remporter trois fois le Yonkers, autre marathon légendaire américain.

Plusieurs l'ont qualifié de «Maurice Richard de la course à pied». Il était le meilleur au monde et méritait pleinement ce titre, d'autant que ses démêlés avec l'Armée canadienne pourraient nourrir une autre chronique nationaliste.

Sauf qu'on ne fait guère d'émeutes pour les coureurs de marathon.

Côté a battu le record du Marathon de Boston à sa première victoire, en 1940 (en 2 h 28 min 28 s). Le lendemain, les journaux de l'époque le montrent dans son lit, une pipe à la bouche et frais comme une rose après avoir dansé une partie de la nuit, en train de conférer avec les journalistes. Il était prêt à repartir...

Sa deuxième victoire se produit en 1943. Portant fièrement les couleurs de l'armée, il est maintenant sergent et entraîne les soldats à Valleyfield.

Les autres soldats n'étaient pas tous aussi impressionnés. De retour à la base militaire, des familles se plaignent : Côté a un traitement de faveur ! Monsieur s'en va courir et s'amuser à Boston, il se fait dorloter par les journaux tandis que les autres soldats triment dur à la caserne... Pas juste !

C'est donc pendant une permission, en 1944, qu'il se rend au Marathon de Boston qu'il court à titre personnel, financé par un restaurateur.

Il gagne de nouveau!

Cette troisième victoire ne fait rien pour le rendre plus populaire à la base militaire. Il est accueilli encore plus froidement. On l'empêche de remporter un troisième titre en trois ans en l'envoyant en Angleterre avant le marathon, dans un geste manifestement destiné à le punir.

Qu'à cela ne tienne : avant de revenir au Canada, en 1946, il gagne trois marathons au Royaume-Uni !

Et en 1948, il remporte Boston pour la quatrième fois. Prochaine étape : les Jeux olympiques — ceux de 1940 et de 1944 n'avaient pas eu lieu.

Les connaissances n'étaient pas ce qu'elles sont aujourd'hui et on ne se méfiait pas tellement du surentraînement. L'entraîneur de Côté était un dénommé Pete Gavuzzi, ultramathonien avant la lettre. Gavuzzi avait participé à une course de 5500 km entre Los Angeles et New York, en 1928, qu'il avait dû abandonner pour cause de blessure. Il fallait courir 60 km par jour pendant 85 jours. Il avait pris part à une course en sens inverse en 1929, terminant deuxième dans cette épreuve insensée qui revenait à courir un marathon et demi (60 km) par jour pendant 85 jours. L'idée était de faire une sorte de Tour de France de la course à pied. Toujours est-il que ce Gavuzzi entraînait Côté à coups de 50 ou 60 km par jour, ce qui n'a plus cours aujourd'hui.

Après sa victoire à Boston, Côté est allé courir deux autres marathons dans les six semaines suivantes, à Los Angeles puis aux qualifications canadiennes. Aucun athlète de nos jours ne courrait trois marathons dans le printemps précédant les JO.

Disons qu'il n'est pas arrivé à Londres au sommet de sa forme. Il a fini en 17e place.

Il n'a donc jamais eu de médaille à son palmarès.

Remarquez, Maurice Richard, qui a gagné souvent à Boston lui aussi, n'a jamais remporté le championnat des compteurs.

Qu'importe. Quand on court, a dit Gérard Côté bien des années plus tard, «vous oubliez tous les malentendus».

(Paul Foisy vient de faire paraître une biographie de Gérard Côté, aux Éditions Kmag.)

De Marathon à Londres

Pour les Jeux de 2012, les Anglais, qui ont ni plus ni moins inventé le marathon, ont décidé d'une autre première. On a voulu en faire le marathon le plus spectaculaire de l'histoire des Jeux. Le plus télévisuel en tout cas : au lieu d'un parcours longiligne qui se termine dans le stade olympique, on ferait trois grandes boucles dans le Londres historique, pour terminer sur le Mall, devant le palais de Buckingham.

Avec l'entraîneur Dorys Langlois, j'ai fait cette boucle d'environ 12 km (une quatrième demi-boucle complète le trajet), qui vire et vire (110 virages) et ressemble à un parcours dessiné par le ministère du Tourisme : cathédrale Saint-Paul, tour de Londres, Big Ben, bord de la Tamise, abbaye de Westminster...

Les gens de l'est de Londres, où est planté le stade, l'ont très mal pris. Incident politique majeur en 2010. Quoi, vous avez honte de montrer le Londres multiculturel et pas super chic des environs ? Vous nous aviez pourtant vendu des Jeux qui serviraient à revitaliser le quartier, à le faire aimer...

***

Le marathon, en vérité, n'a de grec que le nom. J'exagère à peine en disant que c'est une invention anglaise.

Les Grecs anciens ne couraient pas sur cette distance exagérée aux Olympiades — pas même 5 km. L'histoire d'un soldat mort après avoir couru de Marathon à Athènes pour annoncer une victoire militaire est une légende popularisée par un poète anglais du XIXe siècle. De ce poème est née l'idée d'un savant français de créer une course appelée «marathon», que Coubertin a trouvée fabuleuse.

Aux Jeux de 1896, en Grèce, on a donc parcouru à la course la distance entre Athènes et Marathon : 40 km. Même chose à peu près en 1900, à Paris, et en 1904, à St. Louis aux États-Unis. En 1908, à Londres, on avait mesuré 40 km entre Eton et le stade olympique. Le roi voulait cependant que le départ soit donné devant la terrasse du château de Windsor pour que ses enfants y assistent, ce qui a allongé le parcours. Il a aussi voulu que l'arrivée soit devant la loge royale dans le stade, pour y assister.

Il aurait pu acheter des billets à ses enfants, je sais, c'est un peu mesquin.

À la fin, la distance totale faisait 42,195 km (encore qu'un maniaque est allé mesurer la distance exacte récemment pour dire qu'il manque quelques centaines de mètres). Après des années de flottement, on a décrété, en 1921, que tous les marathons auraient exactement cette distance royale, qui n'est pas grecque pour deux pennies.

C'est donc une distance arbitraire fondée sur une histoire qui n'est pas arrivée.

En 1908, l'Italien Pietri, arrivé premier dans le stade, est tombé cinq fois avant que des arbitres compatissants ne l'aident à franchir la ligne d'arrivée — ce qui a entraîné sa disqualification.

Aux deuxièmes Jeux de Londres, en 1948, le départ et l'arrivée ont eu lieu dans le stade de Wembley. Suivant la tradition londonienne, le coureur belge Étienne Gailly, en avance, s'est effondré juste avant l'arrivée.

Heureusement pour lui, tout le monde l'a laissé sécher sur la piste comme un vaurien, ce qui lui a évité la disqualification. Il a réussi à crapahuter jusqu'à l'arrivée après avoir été doublé par deux autres. Il a fini avec le bronze.

***

Dorys et moi avons scrupuleusement suivi le parcours, ce qui supposait le contournement d'une horde de touristes devant Big Ben. La boucle se termine dans l'allée ombragée qui longe le parc St. James sur un kilomètre, on vire devant le palais pour aller finir triomphalement sur le Mall.

La reine n'a pas fait allonger le parcours cette fois-ci mais, avec une bonne paire de jumelles, elle a eu une vue imprenable et a vu passer les athlètes quatre fois.

Ni elle ni la foule n'ont pu dire adieu à celle qui a couru le marathon le plus rapide de l'histoire (2 h 15 min 25 s en 2003), la Britannique Paula Radcliffe. Forfait pour cause de blessure.

Les Anglais ne peuvent pas écrire toutes les pages du livre du marathon.

Monsieur Garneau

En mettant les écouteurs pour aller courir ce matin-là vers 10 h, j'entends que Richard Garneau est mort. J'ai couru jusqu'au Stade, vaisseau fantôme dans la neige. J'ai levé ma tuque à sa mémoire.

Cet homme a travaillé à faire comprendre et aimer les Jeux olympiques depuis si longtemps qu'on ne les imagine pas sans lui.

C'est vrai qu'il parlait un français non seulement soigné mais riche. Vrai aussi qu'il avait une des plus belles voix au pays, caressante et profonde.

C'est surtout l'intelligence du propos et cette curiosité dévorante qui en ont fait un grand animateur et commentateur.

Sans la moindre lourdeur, sans se prendre la tête, avec cette finesse indéfinissable, il nous a fait une patiente pédagogie du sport. Hockey ou 10 000 m, on sortait moins stupide de toutes ses interventions. Parfois émerveillé.

Dire la beauté fugace des choses sportives sans tomber dans la niaiserie, l'à-plat-ventrisme ou l'idolâtrie n'est pas donné à tous les commentateurs. Lui savait.

Il a été en même temps un de ceux qui ont voulu, autour des JO de Montréal, contribuer à développer une culture du sport au Québec — il a même présidé la Fédération d'athlétisme.

Une culture du sport? Parlons d'amour d'une certaine exigence.

Tous ces athlètes, skieurs, patineurs, cyclistes, coureurs de pointe ou de masse, ces Alex Genest comme ces dizaines de personnes que j'ai croisées en courant dans les rues de Montréal ce matin-là, enfin bref, toute une nation doit quelque chose à Richard Garneau.

Lui, Serge Arsenault et d'autres ont quelque chose à voir avec le développement de la course à pied au Québec. Ils en faisaient, ils en parlaient, ils la promouvaient.

Je me souviens d'une entrevue avec Richard Garneau où il expliquait que sa vie de coureur ne le confinait pas à un régime de vie spartiate. Au contraire, ce surcroît d'activité physique lui autorisait des abus de diverses sortes. Voilà qui était soudainement invitant: la course à pied comme pivot d'un certain hédonisme...

Dans son savoureux *À toi, Richard* (Éditions Stanké), mémoires du légendaire commentateur sportif, Garneau a des pages hilarantes sur le mur qu'il a frappé à son premier marathon, à l'île d'Orléans.

Il y raconte la lutte épique entre son cerveau et son corps déconfit, la crainte de se faire ridiculiser par Arsenault...

J'aperçus alors la pancarte indiquant le trente-neuvième kilomètre. Presque en même temps, je vis arriver (Jo) Malléjac revenu sur le parcours pour m'encourager, après avoir lui-même brillamment terminé l'épreuve. Petit à petit, grâce à sa présence, je pus graduellement oublier un peu la douleur et retrouver le pas de course. Quand je vis enfin la ligne d'arrivée, je me crus arrivé au paradis. Je pensai aussi avoir des hallucinations en apercevant ma fille Catherine au milieu de la foule. Sans me prévenir, elle était venue exprès de Montréal pour encourager son vieux père qui en avait fort besoin.

Trois heures 48, me dit Malléjac.

Trois heures 48 ? J'ai battu Serge (Arsenault) de 10 minutes ! m'exclamai-je.

J'aurais sauté de joie si j'avais pu, mais je ne réussis qu'à m'effondrer au bord d'un fossé. J'y restai pendant un long moment, incapable de bouger (...)

Mallejac a été non seulement un analyste formidable de l'athlétisme à Radio-Canada, mais un grand « déniaiseur » national en la matière. C'est à lui qu'on doit les programmes des premiers marathons de Montréal.

Garneau avait 50 ans lors de son premier marathon. L'année suivante, il a fait mieux encore : 3 h 38 min, à l'âge de 51 ans.

Il est demeuré passionné par l'événement. Chaque année, jusqu'en 2012, quand il venait présider la conférence de presse du Marathon de Montréal, dans la tour du Stade olympique, il s'informait des journalistes qui allaient prendre part à l'événement.

Ses genoux le limitaient désormais à la marche. À l'entendre parler de course de fond, on avait bien l'impression que pour un peu, il se serait pointé sur le pont Jacques-Cartier pour le départ...

Tourisme

Il y a dans certaines villes américaines des
«tours guidés» en joggant.

Voilà une perversion du tourisme en souliers
de course. L'idée me semble peu séduisante de
partir en groupe de 17 avec un guide en sueur qui
vous hurle les informations sur les monuments de
la guerre de Sécession tandis qu'une participante
à bout de souffle vous murmure en exhalant:
«*What did he say?*»

Il dit de prendre le tour en autobus.

Courir au petit matin dans des villes inconnues
est pourtant une des meilleures manières de s'y
insinuer.

La ville n'est pas encore grouillante. On sort
avec un plan et une vague idée de ce qu'on va
explorer. Et silencieusement, on se glisse dans la
ville, transparent.

Au petit matin, le 4 juillet, pendant qu'on s'af-
fairait à installer les kiosques pour la fête nationale
à Philadelphie, les rues étaient à nous.

Je le confesse : nous avons gravi les marches du musée d'art, comme dans la scène classique de Rocky, l'ultime cliché touristique. Tellement qu'on a érigé une statue du personnage imaginaire à l'effigie de Sylvester Stallone à côté du musée. On nous excusera, on ne le refera pas. Circonstance atténuante : il n'y a pas de meilleur point de vue au bout de la promenade Franklin...

À Washington, le tour de la Maison-Blanche n'est pas désagréable : il y a de la verdure, un peu d'ombre et trois ou quatre policiers. On se rend sous le soleil au sommet de la butte du monument à la mémoire du vieux George, on longe les bassins en enfilade qui vous mènent jusqu'à Lincoln dans sa chaise de marbre.

Pendant qu'on revoit en pensée les images des immenses rassemblements des 50 dernières années, 100 bernaches traversent paresseusement la voie qu'elles recouvrent de leurs déjections. Les oiseaux sauvages devraient être interdits dans les parcs. La sédentarité leur enlève tout prestige.

À Londres, les parcs innombrables et gigantesques attirent les coureurs autant que les animaux les plus divers. Hyde Park a toujours son allée pour la promenade à cheval. Les chiens, par ailleurs, sont d'une urbanité exemplaire et n'ont pas besoin de laisse, qu'ils suivent leur maître ou le cheval de leur maître. Ils sont à leur affaire de chien et n'embêtent jamais les coureurs. En portant attention (j'ai fait plusieurs sorties), on observe deux espèces de pigeons dans Regent's Park. Le biset, bien sûr, qu'on a importé chez nous, et qui est aussi crétin sous toutes les latitudes. Mais aussi le pigeon ramier, confit dans son gras, reconnaissable à son col blanc, qu'on dirait d'hermine, et à cet air autosatisfait, ce maintien d'aristocrate de pacotille. On jurerait Lord Black, baron de Crossharbour, avant d'aller en prison.

Si l'on court suffisamment, on aura même le déplaisir de voir une colonie de grands hérons, pataugeant dans des eaux gluantes. Eux qu'on voit chez nous, farouches, surplomber les marais sauvages au crépuscule, eux si fiers, altiers, le plumage soyeux, gris ou bleu, toujours changeant selon l'humeur et l'heure du jour, comme les yeux des filles, ils sont là, dans le gazon, tout ébouriffés, clochards grimpés sur des échasses, à quêter des miettes de pain aux touristes. Quelle déchéance ! Je les quitte en accélérant.

Même Winnipeg a ses charmes, c'est dire le pouvoir magique de la course à pied. Des jardins derrière l'Assemblée législative, que surveille la tête de pendu de Louis Riel, on descend quelques marches et on longe la rivière Rouge sur des kilomètres, bulle verte dans une ville grise. On croise des pêcheurs hagards et des dormeurs sans *fix* et sans domicile.

Les plaines d'Abraham ont leurs sentiers secrets, que m'a fait découvrir Antoine Robitaille. Quand on arrive devant le fleuve souverain, on doit impérativement le saluer, c'est la règle de son club de course.

À Toronto, en plein centre-ville, j'ai repéré le cimetière Mount Pleasant, vaste et magnifique, plein d'une ombre bienfaisante. Il y a plus de coureurs que de gens en deuil, à moins qu'on ait inventé le concept de funérailles en joggant sans nous le dire.

En prenant les allées au hasard, je me retrouve devant la tombe de Mackenzie King, modeste stèle agrémentée de l'inévitable plaque patrimoniale qu'on n'a pas le temps de lire en courant, mais qui dit sans doute que là gît l'homme qui a été premier ministre le plus longtemps au Canada. On n'y dit peut-être pas qu'il parlait aux esprits, ceux de Wilfrid Laurier, de sa mère et de ses chiens. On va encore fleurir sa tombe, 60 ans après sa mort. Sans doute quelques libéraux nostalgiques. Il a laissé ce conseil aux politiciens : au pouvoir, ce n'est pas ce qu'on fait qui compte, mais ce qu'on empêche d'arriver.

Ce qu'on empêche... Un conseil qui vaut aussi pour les entraînements. Je me suis fait un bout du parcours du Marathon de Montréal, à la fin de mon été de premier marathon. La légendaire côte Berri. Elle vous guette, elle vous jauge, juste là... Pour vous rattraper et vous punir au 32e kilomètre, là où tout peut arriver, surtout le pire, de l'autre côté du tourisme...

Jusqu'au 32e kilomètre, soyons sérieux, ce n'est toujours qu'un tour de ville.

Le cirque

Avant d'être un sport de masse, le marathon fut un sport de cirque. Cirque, comme dans cercle. Et comme dans spectacle de gens un peu bizarres risquant leur vie pour plaire à la foule. On y voyait naguère des gens mettre leur tête dans la gueule d'un lion, d'autres se tenir debout sur la croupe d'un cheval au galop, d'autres encore jouer à l'homme-canon.

Mais que dire de ces athlètes fous qui couraient au-delà de l'épuisement?

La Presse du 29 mars 1909 fait état d'un marathon organisé par le Montreal Amateur Athletics Association, regroupant 12 coureurs «professionnels».

Moins d'un an auparavant, le 24 juillet 1908, aux premiers Jeux olympiques de Londres, la fin dramatique d'un marathon avait achevé de cristalliser la mystique de l'événement.

Ce jour-là, l'Italien Dorando Pietri arrive premier dans le stade. Les 90 000 spectateurs l'acclament. Mais la course a été pénible. Il fait 26 degrés et à

200 m de l'arrivée, le coureur italien s'effondre sur la piste. Il se relève... Titube... S'effondre à nouveau... Se relève encore... mais tombe derechef. Il fera le coup cinq fois de suite, deux chutes de plus que Jésus lui-même!

Tout ça devant une foule qui n'avait pas encore l'habitude de la mort en direct...

L'athlète était là, étendu de tout son long à quelques mètres de la gloire olympique. Inerte. Au loin, on aperçoit d'autres concurrents qui entrent dans le stade. Va-t-il se lever une sixième fois?

Les comptes rendus de l'époque affirment qu'on lui a fait un massage cardiaque, qu'on lui a même administré de la strychnine pour l'empêcher de mourir... Et c'est finalement escorté de deux officiels qu'il franchit le fil d'arrivée en première position, 34 petites secondes devant l'Américain John Hayes.

Les États-Unis obtinrent cependant la disqualification de Pietri, qui avait été aidé, et c'est Hayes qui fut sacré champion olympique.

Transporté à l'hôpital en civière, Pietri aurait passé «de longues heures entre la vie et la mort». Il a survécu et n'est décédé que 34 ans plus tard, dans l'anonymat le plus complet, en plein milieu de la Deuxième Guerre.

Cette mort et cette résurrection olympiques allaient marquer les esprits.

Quoi, cette épreuve digne des demi-dieux était donc véritablement mortelle?

Les promoteurs sportifs nord-américains et européens ont sauté sur l'occasion. Dans les grandes villes, on s'est mis à organiser des marathons... courus sur piste ovale devant des milliers de spectateurs. Pas tellement pour la gloire du sport, on s'en doute, mais plutôt comme une version athlétique du cirque.

Dans les années qui ont suivi l'événement, on a vu jusqu'à 12 000 spectateurs remplir le Madison Square Garden de New York pour aller voir les marathoniens faire 289 fois le tour d'une piste de 146 m. Pietri, d'ailleurs, a eu sa revanche sur Hayes dès le mois de novembre 1908, et l'a vaincu par 45 secondes.

Ce 26 mars 1909, donc, Montréal présentait son marathon. Le grand favori était William Sherring, un Irlandais de Hamilton, déjà vainqueur de la plus vieille course en Amérique du Nord, Around the Bay, un trajet de 30 km couru depuis 1894 le long du lac Ontario. Sherring avait remporté le marathon à Athènes en 1906, dans les «Jeux olympiques intercalés», JO non reconnus officiellement par le CIO et aujourd'hui oubliés, mais qui ont attiré les meilleurs athlètes du moment.

Ce jour de mars 1909 à Montréal, après 32 km, Sherring a frappé le mur et abandonné la course dans le gymnase du Montreal Amateur Athletics Association. Un dénommé Abbie Wood l'a emporté en 2 h 39 min devant quelque 900 spectateurs.

« L'épreuve a été la plus mal organisée qu'il soit possible d'imaginer, rapporte *La Presse*. Toutes sortes d'irrégularités ont été commises par les entraîneurs, les seconds et les amis des concurrents. » Un « fiasco », conclut le journaliste.

Ces marathons professionnels n'en ont pas moins connu un succès commercial considérable un peu partout, de Chicago à Londres en passant par Toronto. Dans un tel marathon en circuit fermé, dans un stade de baseball ou un amphithéâtre, on peut contrôler l'entrée des spectateurs, qui voient le spectacle au complet... et qui doivent acheter un billet.

Une des plus grandes vedettes de l'époque était Tom Longboat, un Indien Onondoga de la région de Toronto, vainqueur de Boston en 1907 et d'un de ces marathons intérieurs à New York. Bill Davis, un Mohawk de Hamilton qui avait été le mentor de Longboat, était une autre grande figure de la course de fond avec aussi une carrière remarquable, de Boston aux amphithéâtres. Il a vaincu quelques fois Pietri — qui a fait une sorte de spécialité de s'effondrer tragiquement en fin

de course, à New York ou à Buffalo, mais en évi-
tant soigneusement de mourir.

Ces coureurs étaient des vedettes considérables
à l'époque et faisaient des revenus supérieurs aux
joueurs de hockey. On raconte que le gérant de
Longboat a vendu son contrat à un autre gérant
pour 2000 $.

Le public se lassa peu à peu, faute de morts
peut-être, et au début de la Première Guerre mondiale, ces événements n'avaient plus cours.

Longboat pendant ce temps s'en alla outre-mer
où il travailla comme messager, courant porter des
messages pour l'armée. On annonça par erreur à
sa femme qu'il était mort et quand il revint au pays,
elle s'était remariée.

C'était un métier, marathonien, où l'on vous prenait souvent pour mort...

L'entraînement

Vient un moment où on ne sait plus si on s'entraîne pour une course ou si on s'inscrit à une course pour s'entraîner.

Il y a au calendrier un demi-marathon le 28 avril, un autre en septembre, la Classique du parc La Fontaine en octobre et quelques petites courses ici et là.

Mais si on n'aime pas ce qu'il y a entre les courses, et qui est l'essentiel finalement, on ne durera pas longtemps. Faut aimer la préparation. Le rituel. Le doute qu'on combat.

J'aime ce moment où j'enfile la troisième pelure de vêtements, un dimanche de février, avant d'aller courir 22 km. « Moins 14... Merde ! J'aurais dû y aller hier... »

Je calfeutre toutes les ouvertures. Je prends mes souliers recouverts de sel. J'en inspecte l'usure. Ceux-là ne servent que l'hiver. Et encore faut-il qu'il y ait de la neige et de la glace au programme.

J'ai maintenant une demi-douzaine de paires de souliers, selon la saison et le type d'entraînement.

Ceux pour les longues courses d'été et pour les marathons. Ceux pour les entraînements de vitesse, très légers, peu structurés, semelle mince... Il y en a avec des trous en dessous, parfaits à l'intérieur, pas fameux s'il pleut ou s'il y a des cailloux... Une autre paire avec de minuscules crampons en caoutchouc qui s'agrippent à l'asphalte... J'en compare le poids et la configuration...

En « allumant » ma montre, j'aperçois les chiffres de ma dernière sortie, que j'efface aussitôt. Biiip ! Je pars vers le mont Royal, vers le Stade, vers le boulevard Gouin ou vers le Vieux-Montréal... Ce sont des courses longues, lentes et méditatives.

À mes premières longues sorties, disons d'une heure et demie ou plus, je ne partais jamais sans musique. Je me suis trouvé un morceau qui serait tellement long que je ne pourrais jamais l'écouter au complet à moins de faire un marathon à l'entraînement : la *Passion selon saint Jean,* de Bach. Musique sublime où la douceur, la grâce, la violence, le désespoir et la résurrection se mêlent de manière d'autant plus imprévisible que mon iPod a commencé un jour à la faire jouer de manière aléatoire. Vous dire que c'est une métaphore de l'entraînement serait charrier. La grâce et la douceur ne sont pas toujours au rendez-vous.

Mon allemand ne me permet pas de traduire toutes les subtilités du texte, mais des rudiments de catéchèse et d'entraînement athlétique permettent de reconnaître «Pitié, mon Dieu» dans toutes les langues.

Je préfère maintenant courir avec la musique de la rue. Les sifflements inattendus d'un cardinal, les bruants à gorge blanche qui ne chantent que les premières notes de leur chant en hiver comme si c'était un test de son, les geais bleus, ces brutes des forêts urbaines, les cris de ces idiots d'écureuils, le moteur d'une voiture qui a décidé de vous frôler... Des fois, surtout l'hiver, un dimanche matin, la ville est muette, abandonnée au vent.

Autant j'aime la lenteur, autant j'aime les intervalles de vitesse sur la piste, deux fois par semaine quand je peux. C'est là qu'on expie, c'est là qu'on pousse à fond, pour des séquences de 30 secondes, ou de deux minutes, ou de cinq, ou de 14... J'en sors généralement exultant et exténué. J'aime les fois où j'arrive avec des jambes en béton, en n'y croyant pas. S'il y a sept répétitions, à la quatrième, je me dis : c'est plus que la moitié, je pourrais arrêter après, ce serait déjà bien... J'arrête à la prochaine, c'est certain, c'est une journée comme ça... Mais je continue. Des fois, je me demande s'il faut plus de courage pour continuer quand on n'en peut plus, ou pour arrêter en avouant qu'on n'en peut plus.

Sur piste, il y a des entraînements glorieux, d'autres désastreux. La plupart sont simplement un rendez-vous avec le contour informe de ses limites.

De l'entraînement, j'aime aussi l'analyse. La lecture du programme de la semaine prochaine. Hum! 58 km au total... Trois fois quatre séquences d'une minute mardi... 7 km mercredi... Oh! 22 km dimanche...

L'analyse, c'est bien. En parler, c'est mieux.

Un jour, le collègue Jacques Benoît, réputé chroniqueur de vin à *La Presse,* m'a confié qu'il ne peut plus prononcer une phrase sur le vin à la maison sans risquer de déclencher l'hostilité générale du reste de la famille ou de faire fuir tout le monde. Il y a une limite à faire supporter les excès névrotiques de ses passions à son entourage.

Cet enseignement vaut pour la course à pied. Les joies et périls de l'entraînement ne peuvent pas être partagés avec le premier venu. Mais quel incroyable plaisir de discuter secrètement VO2max, kilométrage, stratégie de course, souliers ou glucides avec un membre de la secte des coureurs, devant une soupe vietnamienne...

Au final, on passe infiniment plus de temps à s'entraîner et à en parler qu'à «faire des courses». Faut trouver le moyen d'aimer ça pendant qu'on le fait, sinon, vraiment, mieux vaut trouver autre chose...

Boston

Du gars qui court en cachette à l'apprenti marathonien, il n'y avait qu'un million de pas.

Du marathonien au Bostonien, oh... c'est une autre histoire !

Ne s'inscrit pas au Marathon de Boston qui veut. Or, les choses de la course à pied contemporaines étant ce qu'elles sont... tout le monde veut aller à Boston.

Comme vous savez, le marathon est une épreuve inventée de toutes pièces par des barons romantiques pour les premiers Jeux olympiques de l'ère moderne. Les courses de la Grèce antique ne dépassaient pas 5000 m. Le premier marathon marqua les esprits en 1896 et dès l'année suivante, le Boston Athletic Association (BAA) décida d'en organiser un annuellement.

Ils étaient 18 à courir l'exacte distance courue entre Marathon et Athènes en 1896, qui n'était encore que de 40 km.

Boston est donc le plus vieux marathon au monde. Il a été couru chaque année, sauf en 1918 quand on l'a fait à relais. Jusqu'au début des années 1960, la course était l'affaire d'une élite athlétique. En 1963, on enregistra une participation record de... 285 participants.

Cinq ans plus tard, ils étaient 1014. En 1979, la course à pied avait atteint le statut de sport de masse : 7927 coureurs se sont inscrits.

Pour limiter la participation, les organisateurs du BAA ont décrété des temps de qualification selon l'âge et le sexe.

Tout ça pour dire qu'à peine a-t-on commencé à s'entraîner pour un marathon, on entend des gens vous parler de Boston. La question vous est posée assez vite : « Vises-tu un BQ ? » Comme dans *Boston Qualifyer,* c'est-à-dire le temps de qualification.

Chez les 45-49 ans, il me fallait 3 h 30 min. Et dans ce temps déjà révolu, le Boston Athletic vous donnait une « minute de grâce ». Un temps de 3 h 30 min 59 s, obtenu sur un parcours accrédité quelque part dans le monde (ils le sont presque tous), était accepté.

Mon entraînement était destiné aux coureurs visant 3 h 30 min. Sur papier, je suivais religieusement les temps et les durées. Et j'entretenais secrètement le fantasme d'y parvenir.

Les 3 h 59 min de mon premier marathon, à Montréal, l'indiquaient assez brutalement : le chemin qui mène à Boston est plus long qu'il y paraît dans les livres et les programmes qu'on se concocte sur Internet...

«Y'a rien qu'un secret pour Boston, c'est de manger de l'asphalte», m'avait dit Albert Miclette, cent fois marathonien et qu'on retrouve à Boston chaque troisième lundi d'avril.

Jusque-là, j'avais toujours couru seul. Avec des horaires imprévisibles et trois enfants à transbahuter d'écoles en arénas, je n'ai pas besoin en plus de rendez-vous à prendre et à annuler, de gens à rejoindre ou à attendre. Quant à la «motivation», je n'ai jamais eu besoin de me la faire injecter par les autres.

Les programmes généraux de Jean-Yves Cloutier sont très bien, mais il n'y a rien comme du surmesure. Je me suis laissé convaincre par des amis que les programmes personnalisés d'un entraîneur me mèneraient à Boston mieux et plus vite.

«C'est réaliste», m'a dit sans enthousiasme exagéré Dorys Langlois.

L'entraînement était à peu près le même, en plus pointu.

Au Marathon d'Ottawa, dix mois après le premier, j'avais retranché 10 minutes. Il en restait 19 à soustraire...

Un an plus tard, après un entraînement plus rigoureux que jamais, je me rendais à Mississauga pour mon troisième marathon. «C'est un parcours assez favorable, c'est au début mai, ça devrait être frais...»

Résultat: 3 h 34 min. Donc 15 minutes de moins. En moins de deux ans, j'avais gagné 25 minutes. À ce rythme-là, le record du monde m'appartiendrait dans trois, quatre ans...

Les dernières minutes sont évidemment les plus difficiles à conquérir.

Ma progression avait beau me réjouir, pour la troisième fois j'avais dû ralentir assez lourdement dans les 10 derniers kilomètres. Je ne voyais vraiment pas comment je pourrais en retrancher.

Et pendant ce temps, comme de raison, la moitié de l'Amérique du Nord qui ne joggait pas encore s'est acheté une paire de souliers de course.

J'étais clairement enseveli dans cette vague, un peu déprimé de ma banalité sociologique.

Cette déferlante a eu un effet plus désagréable encore: au début des années 2000, le Marathon de Boston n'affichait généralement complet que quelques jours avant l'événement. À la fin des années 2000, c'était quelques semaines... puis un mois et demi... Et soudainement, en octobre 2010, les inscriptions étaient complètes en... huit heures!

Il y avait urgence, et les gens du BAA ont dû réformer le système. On a retranché cinq minutes aux temps de qualification pour toutes les catégories d'âge. Et on a aboli la minute de grâce.

Il ne me fallait plus 3 h 30 min 59 s, mais bien 3 h 24 min 59 s... Ou bien attendre à 50 ans pour changer de catégorie et retrouver mes cinq minutes perdues.

Contre l'avis du coach, qui trouve qu'un marathon par année c'est amplement suffisant (deux, c'est généralement contre-productif), je me suis inscrit à Philadelphie, qui a le triple avantage d'étirer la saison jusqu'à la mi-novembre, d'être couru par temps frais et dans une belle ville.

Oh! Pour la première fois, je n'ai pas gagné de minutes. On ne peut pas éternellement s'améliorer, je sais, mais 3 h 47 min... Rien de dramatique. Je commençais cependant à me dire: je n'y arriverai jamais. Ces dernières minutes sont trop coûteuses. Tant pis pour Boston. J'irai... j'irai au Marathon de Baie-des-Chaleurs, tiens!

J'ai quand même remis ça. Albany. Début octobre. Le long du fleuve Hudson. Faux-plat descendant... Un quart des participants se qualifient pour Boston!

J'avais averti tout le monde : si je ne me qualifie pas, j'oublie Boston. Je passe à autre chose.

Et il s'est passé ceci qu'à ce jour je ne comprends toujours pas : ce fut la course la plus facile de toutes en quatre ans. J'ai accéléré tout le long. La deuxième moitié fut plus rapide de trois minutes que la première. Mon dernier kilomètre fut le plus rapide de tous. Et, vraiment, je n'ai souffert nulle part.

Contrôler sa vitesse au départ y fait pour beaucoup, évidemment. On court moins idiot avec le temps, surtout quand on s'est suffisamment cassé la gueule.

Plus simplement encore : j'avais mangé de l'asphalte depuis quatre ans, beaucoup d'asphalte. Et ça payait.

Au fil d'arrivée dans la capitale de l'État de New York, des banderoles nous accueillaient. Bienvenue à Albany !

Moi, je ne voyais que le chiffre au chrono : 3 h 24 min. Et j'ai lu : bienvenue à Boston, mon vieux...

Choses

En courant, je passe assez lentement pour voir la vie dans les rues. Et trop vite pour être remarqué. Je me sens presque invisible. Je me faufile dans le décor, l'air tout absorbé par mes foulées. Ma curiosité est insoupçonnable.

Dans une rue de Longueuil, un samedi matin du mois de mai, une vieille dame en robe de chambre regardait sa maison que les déménageurs vidaient. Elle avait la main sur la bouche et les yeux dans l'eau. Tout le décor de sa vie passait devant elle en pièces détachées.

Les matins chauds de juillet, mieux vaut profiter du peu de fraîche que le jour nous offre au petit matin. La Molson produit à plein régime et, rue De Lorimier, on peut sentir un *rush* de houblon qui sort de l'usine.

C'est l'heure où les gars sortent de l'Accueil Bonneau, dans le Vieux-Montréal, pour aller vaquer à leur inoccupation ou leur occupation. Certains vont se réfugier à l'ombre tout près, rue de la Commune. D'autres remontent lourdement la rue Berri en plein soleil, sac au dos, l'air d'entreprendre quelque chose.

Berri... C'est le *Heartbreak Hill* du Marathon de Montréal. Une montée tranquille du niveau du fleuve jusqu'à Maisonneuve mais, de là, une pente brutale de 300 m, enclavée dans le béton, vous mène rue Cherrier à la recherche des fraîcheurs du parc La Fontaine, poumon du Plateau Mont-Royal. C'est bel et bien un plateau au milieu de la ville, on le sait, mais ça fait drôle de le comprendre avec ses pieds et sa respiration. On mesure aussi le territoire et la géologie en courant.

En remontant la rue Rachel vers la montagne, quand on arrive de l'est, on sent le charbon de bois quelques rues avant le quartier portugais, même au petit matin.

Que je parte de la Rive-Sud, de *La Presse* ou d'ailleurs, la première question pour une longue sortie est toujours la même : mont Royal ou pas ?

La montagne aspire les coureurs dans cette ville comme le cœur pompe le sang. Elle les remplit d'oxygène et les recrache aux quatre coins de Montréal. Dans les hauteurs du chemin Olmstead, une tache rousse traverse le décor tout blanc. Les renards sont bien portants, mais pas autant que les ratons. Dans le cimetière protestant, j'en ai vu s'accoter tranquillement d'une main contre un tronc d'arbre pour me dévisager, l'air de dire : dégage mon vieux, t'es chez nous ici...

La semaine, selon l'heure et les accidents de la vie, on y croise parfois un convoi funéraire, un homme seul qui va fleurir une tombe, des ornithologues, des *skaters*... Dès qu'on va se perdre dans les chemins de traverse, il n'y a plus personne et au milieu du silence, sous les chênes et les ormes, on ne sait plus si l'on est en Écosse ou au milieu du Connecticut.

En redescendant par Outremont «en haut», on arrive devant le pavillon de briques jaunes de l'Université de Montréal où des étudiants en psycho entrent et sortent.

On croise souvent des coureurs dans ces rues-là. Je les salue d'un signe de la main. Une faible proportion me renvoie la pareille. Les filles ont peut-être l'impression qu'on les drague, va savoir. Les gars se prennent souvent pour des cyclistes, vous savez cet air affecté de gravité qu'ont souvent les gens de vélo, comme s'ils s'en allaient gravir le Tourmalet pour décider du premier rang au Tour de France... Hé, Contador, c'est seulement l'avenue du Mont-Royal...

C'est peut-être ma technique qui fait défaut, remarquez. Un jour, j'ai couru avec Frédéric Plante, l'animateur vedette de RDS. Il regardait les coureurs dans les yeux plusieurs mètres à l'avance et leur lançait un vigoureux et sympathique «bonjour monsieur» accompagné d'une salutation de la main droite. Son taux de réponse avoisinait les 100 %.

Je ne blâme personne. J'oublie comme on est bien dans sa bulle de coureur. Eux aussi se pensent invisibles, peut-être. On est tous comme Marcel, le personnage de Michel Tremblay qui pensait disparaître dès qu'il mettait ses lunettes noires.

On est bien dans sa bulle... Oui et non. Dès que la ville est réveillée, on n'a nulle part où aller en toute quiétude. Sur les trottoirs, on dérange les piétons. Dans la rue, on embête les voitures. Les pistes cyclables sont à vos risques et périls. On se fraie un chemin entre les diverses tolérances, on résiste aux pâtisseries qui le font exprès de tousser une odeur de pain frais, on arrive à la maison en se disant des choses bizarres comme «c'est pas si loin, finalement, le Jardin botanique» ou même «c'est beau, Montréal».

Les chiffres

Un samedi chez le coiffeur du coin, une jolie femme m'aborde et me jure que je connais son mari.

« Mais oui, mais oui : Georges ! Vous avez couru ensemble à la piste l'automne dernier...

— Georges... Désolé, je ne connais pas de Georges.

— Il s'entraîne avec Dorys, il a fait un demi-Ironman à Tremblant, il a fait Boston...

— Ah ! Georges ! Oui, Georges, 3 h 15 min à Boston ! Bien sûr. »

Son visage soudainement me revient très clairement.

Aucune idée de ce que ce type fait dans la vie. Je ne savais pas qu'il était marié, qu'il avait deux enfants et demeurait à quatre rues de chez moi. Mais je connais ses temps à Boston, à Ottawa et à Montréal. Il a fait un demi-Ironman au printemps.

Je vois son visage et je me souviens de ses chiffres : 3 h 15 min à Boston, ouf, et il faisait chaud en plus... Merde, c'est quoi son nom déjà ?

Souvent, il faut que je vérifie le nom de famille des gens avec qui je cours au moins une fois par semaine depuis trois ans. Je ne me souviens pas clairement de ce qu'ils font dans la vie. Mais Sonia, c'est 3 h 22 min l'an dernier. Wow! Quels chiffres elle a, Sonia. Catherine : 1 h 33 min au demi! Mais ce qu'elle fait exactement dans cette institution bancaire, je ne l'ai pas tout à fait compris. Stéphane, le docteur, 5 min 6 s sur 1500 m. Est-il spécialiste du rein ou du coude, je n'ose plus lui poser la question. Vincent est émondeur, me semble, mais pas de doute : c'est un 19 min facile sur un 5 km, mais avant son bébé, 18 min 45 s. Une fille ou un gars, au fait?

Dans la plus grande discrétion, entre amis, on s'envoie nos chiffres après une course. Les gens normaux ne doivent pas savoir ça, ils croiraient qu'on ne l'est pas. C'est un peu débile, vu de l'extérieur, regarder des chiffres comme ça. Ça tient de la perversion pour un non-initié. Si j'allais voir un psy, je ne suis pas sûr que je lui en parlerais. Ça doit cacher des choses horribles enfouies dans la psyché des coureurs.

Mais on fait ça. Oui madame, ça nous arrive.

Je lis les temps kilomètre par kilomètre de Phil au demi de New York avec un vif intérêt. Oooh, les trois derniers kilomètres sous les 4 min 15 s... intéressant! Qu'est-il arrivé au 12e?

Je relis mes temps pour chacun des 42 km (sans oublier les 200 derniers mètres) du Marathon d'Albany et je revois exactement le déroulement de la course. Le décor, la pente au départ, le soleil d'automne, mes états d'âme en 42 instantanés, le héron dans les battures du fleuve Hudson quand on surgissait de la forêt, le rythme de 4 min 49 s et l'air frais qui vous emplissait les poumons. Je vois l'expression mathématique de mon ralentissement au 30e par excès de prudence. Je revois Patrick au 42e, qui est venu courir avec moi le dernier segment tellement vite que je lui ai dit de ralentir...

On ne parle pas trop de ces chiffres aux non-coureurs; ils croiraient qu'on a totalement déshumanisé la course et les coureurs pour n'en retenir qu'une abstraction algébrique.

Ces chiffres, au contraire, ont pris une dimension humaine. Ils transpirent. Ils sont chargés d'émotion. Ils racontent des histoires aussi puissamment que les mots — et plus économiquement.

Si je lis que Patrick Makau a couru le marathon le plus rapide de tous les temps à Berlin en 2011 en 2 h 3 min 38 s, je vois qu'il a tenu un rythme de plus de 20,5 km/h. Équation à la portée de n'importe qui disposant d'une calculatrice ou d'un cours de mathématiques de 1re secondaire.

Si l'on a couru à cette vitesse, ne serait-ce que 30 secondes, les chiffres ne sont plus seulement des chiffres. Ils expriment très concrètement un exploit dont on a pu éprouver l'improbabilité physique dans ses entrailles.

Il a couru un marathon en 7418 secondes. Ça veut dire 420 tranches de 100 m de suite à une vitesse moyenne de 17,6 secondes chacune. Ce n'est pas si difficile courir 100 m en 17,6 secondes. C'est même assez facile. En faire deux de suite est même à la portée du premier amateur venu. Quatre ? Cela vous ferait un 400 m en 1 min 10 s. Rien pour appeler à la Fédération.

Sauf qu'il vous en reste 416 à faire à cette vitesse-là...

Avant chaque course, avec Phil, on devise à répétition du rythme à prendre au départ... au milieu... à la fin... On consulte des tableaux, on tord et tourne les chiffres autant comme autant, on relit les chiffres de l'an dernier, comme si on allait y trouver des minutes cachées. Ce temps qu'on a laissé filer.

« Au fait, Phil, savais-tu que Michel s'est blessé ?

— Michel... C'est qui Michel ?

— Voyons ! Michel ! 3 h 2 min à Montréal, 35 minutes sur 10 km... Allo !

— Ah oui, Michel. Pas sérieux, il s'est blessé? À cinq semaines de Boston... Merde, dommage, ce gars-là vaut 2 h 58 min, c'est clair...»

Tu parles si c'est clair. On a les chiffres!

Le lièvre

Dans le stade de Londres, ce soir-là, Usain Bolt a remporté l'or au 200 m et est devenu le premier athlète à réussir le doublé du sprint deux Olympiades d'affilée.

Le soir où il a proclamé «je suis une légende» devant le monde entier.

Passé presque inaperçu, le même soir, le Kényan David Rudisha a réalisé sur 800 m ce que Sebastian Coe a appelé «la course la plus extraordinaire qu'il m'ait été donné de voir». Coe, président du comité organisateur des Jeux de Londres, est lui-même une légende de l'athlétisme. Héritier de la grande tradition britannique en demi-fond, il a détenu le record du monde du 800 m de 1981 à 1997.

Qu'avait donc d'extraordinaire cette course ? Rudisha a battu son propre record du monde en parcourant la distance en 1 min 40,91 s. Coller huit 100 m de 12,61 s est phénoménal. Le faire de cette manière est renversant.

En quoi cette manière était-elle historique ? Rudisha est parti devant et a semé tout le monde.

Vrram! Il courait seul en avant, contre lui-même, personne pour le pousser ou le tirer.

Après la course, il a lui-même insisté sur l'exploit: «Ça ne s'est jamais fait, battre le record du monde sans lièvre, mais, ce matin, j'ai vu que la température était idéale et je me suis dit: j'y vais!» Le lièvre est un coureur embauché pour imposer un rythme sur une portion du trajet. Il court la première partie de la course et laisse filer le champion. Quand Rudisha a battu le record du monde deux fois en une semaine, en 2010, il était aidé de lièvres qui ont couru les 400 premiers mètres — avant de s'écrouler — tandis que le maître continuait au même rythme pour le second tour...

Les lièvres sont interdits aux Olympiques, évidemment, et les courses de demi-fond et de fond sont rarement des occasions de record: les courses sont tactiques et ce qui compte, c'est de gagner. Foncer seul vers le record du monde, sans référence, en arrivant presque une seconde devant le deuxième, voilà ce qu'il y avait d'inouï.

***

On peut donc se faire tirer virtuellement par un autre. Ce qui est bon pour les champions peut l'être pour le commun des coureurs, non? C'est ce que nous suggèrent tous ces teneurs de rythme qui se pointent dans les marathons avec des oreilles de lapin sur la casquette et une pancarte indiquant le temps visé. Vous voulez courir le marathon en quatre heures? Suivez le lièvre de quatre heures. Selon les marathons, il y aura plus ou moins de ces bestioles, censées être entraînées pour courir facilement à la vitesse requise, et surtout pour faire courir le groupe intelligemment. Des petits groupes s'agglutinent autour de ces lièvres; ils sont théoriquement du même niveau et s'encouragent mutuellement.

Très peu pour moi, merci. Je préfère rester dans ma bulle et répartir mon effort à ma manière plutôt que de me faire imposer un tempo et de me faire motiver par un gars avec des oreilles en carton.

Pour avoir couru en ralentissant mes quatre premiers marathons, j'ai vécu la très désagréable expérience d'être dépassé par un ou deux ou trois lapins, chacun annonçant malgré eux mon effondrement dans une insupportable bonne humeur. M'énervent, ces foutus lapins.

À l'inverse, voir au loin le lièvre de 3 h 25 min au 35e kilomètre d'un marathon où l'on vise 3 h 29 min... Oh! la joie! Je l'aimais, celui-là! Je me suis fondu dans ce groupe ma foi sympathique... D'autant plus sympathique que je l'ai quitté aussitôt pour accélérer. Bye, lièvre! Hé, hé...

Voilà qui ne répond pas à la question : si c'est bon pour Rudisha sur 800 m ou Gebreselassie sur un marathon, ça doit être utile pour l'amateur, non ?

Ça dépend ce qu'on en fait. Un lièvre peut vous aider à tirer le maximum... «son» maximum. Un ami qui vous tient compagnie, qui vous remonte le moral, qui va vous chercher des verres de *Gatorade* le long du parcours, c'est déjà bien. Mais pour l'avoir essayé dans un demi-marathon, un lièvre n'est pas un truc qu'on programme à sa guise pour vous emmener à l'arrivée au temps désiré — fantasmé. Les mêmes causes créent les mêmes effets. Avec l'ami Jean-Pascal, un fort coureur, le plan extrêmement sophistiqué que nous avions concocté s'est envolé au 12e kilomètre avec des vents de face de 60 km/h. Et n'a rien donné.

Le lièvre n'est pas un chameau. Pour le transport des humains, il n'est pas fameux. Il peut vous donner le goût de le suivre un bout. En ce qui me concerne, c'est dans les meilleurs cas un agréable animal de compagnie.

Le fils

C'était mon anniversaire, qui tombe encore obstinément en hiver malgré les changements climatiques, et je m'en allais courir 15-16 km.

« Attends, je viens avec toi papa… »

Mon fils aîné a commencé à courir un an après moi. Dans ses premières courses, il me coiffait de quelques secondes, en vérifiant par-dessus son épaule que je n'étais pas trop près… Ça n'a pas été nécessaire longtemps : il m'a rapidement perdu dans la brume.

Les fils veulent être meilleurs que leur père mais sans doute sont-ils un peu déçus de lui quand ils le deviennent. Au hockey, ça n'a pas mis tellement longtemps. À 10-12 ans, il était clair pour eux que j'étais un joueur de hockey médiocre mais un excellent préposé à l'équipement. J'ai été subtilement relégué au statut de gardien lors des parties improvisées sur les glaces extérieures. J'ai troqué sans peine un semblant d'orgueil sportif contre cette position plus tranquille qui invite à la méditation. Fameux endroit pour regarder grandir ses enfants, mine de rien, devant un but de hockey au mois de février.

Ils sont tous meilleurs que je ne l'ai jamais été, tous sports confondus, ce qui est une bonne nouvelle pour eux, pour moi et pour le sport.

C'est un immense cadeau de la vie d'aller courir un matin d'hiver avec son fils de 16 ans, mais il ne faut pas trop le dire, ça l'énerverait. L'automne précédent, nous courions ensemble en forêt sur des sentiers coussinés du mont Washington qui serpentent le long d'une rivière. Je lui avais dit que c'était une des plus belles courses de ma vie. C'était d'après lui, au contraire, «une des pires», vu que je m'étais arrêté deux fois pour rattacher mes souliers, ce qui avait cassé le rythme déjà un peu pépère à son goût.

«Pourquoi tu fais pas un double nœud?

— T'as raison, je devrais faire ça...»

Je ne suis pas pour lui dire que je reprends mon souffle discrètement, en m'agenouillant pour rattacher mes souliers.

Plein de choses l'énervent. À commencer par ma technique. Je ne l'ai pas, mais «tellement pas»! Il ne comprend pas comment il se fait que je n'atterrisse pas encore sur le devant du pied, comme nous l'enseigne le coach, et comme il a réussi à le faire en quelques semaines d'entraînement. Je connais effectivement la théorie au complet, je suis même bon pour l'expliquer. Mais... je ne l'ai pas.

«Penche-toi un peu vers l'avant, tu te tiens mal!

— Écoute, tout ce que je veux c'est d'aller à Boston, moi...

— Mais t'as juste à le faire, tu irais plus vite!»

À cet âge-là, on ne voit pas la somme de déprogrammation à laquelle un adulte d'âge mûr doit soumettre son corps pas très athlétique pour assimiler une nouvelle technique.

C'est vrai qu'à côté de lui, je suis plutôt balourd. Il foule si légèrement le sol, il y touche à peine, c'en est émouvant.

«Je m'améliore, mais lentement...

— Pffff.»

Au moins je peux servir à chasser les chiens en jappant. Je fais ça des fois, je n'en suis pas fier, mais que voulez-vous, j'oublie toujours de m'apporter un bâton. Un berger frisé près de Cowansville doit se souvenir d'un gars habillé bizarrement qui jappait plus fort que lui. Il s'approchait un peu trop des mollets de mon fils, un dimanche de décembre. L'animal est parti en courant dans la direction opposée, effrayé. Il est revenu à la charge comme ça deux, trois fois jusqu'à ce qu'il en vienne à la conclusion qu'il avait affaire à un demeuré, ça se lisait dans son visage. Son maître accrochait des décorations de Noël à la maison.

« As-tu fini de crier après mon chien ? »

Le dialogue qui a suivi ferait de la peine à ma mère et s'est conclu par « Ah oui ? Viens donc me le dire ici ! » Oui, c'est peut-être moi qui ai dit ça avant de m'éloigner en reprenant ma course pas mal trop vite avec mon fils. Je ne vais pas bousiller un entraînement pour une chicane de chien. À son regard, j'ai bien vu que mon fils commençait à partager l'opinion du chien sur ma santé mentale. On a ri tout le long en rentrant. Je jetais tout de même des coups d'œil discrets par-dessus mon épaule. Inquiet ? Prudent.

***

Il est un peu découragé de la technique de son père, mais bon, c'était ma fête. Et il voit bien qu'il n'y a peut-être rien à faire avec un élève comme moi.

Ce jour-là d'hiver, donc, c'est lui qui m'emmène. Je sais qu'on va grimper le mont Shefford... mais je ne sais pas que ça monte si haut, si longtemps. L'équivalent de deux côtes Camillien-Houde. Je râle, j'agonise, je n'en peux plus. Ai-je dit que je ne raffole pas des montées ?

Lui, il gambade. Passe en avant. Revient me chercher. Repart. Y va de considérations. Pas la moindre trace de fatigue.

Là, c'est lui qui commence à m'énerver...

«Hé, papa, t'as vu la vue... regarde ça! Wow!... T'as vu le geai bleu?»

Il entreprend de me décrire les environs et j'ai l'impression qu'il fait une parodie de moi quand j'essaie sans succès de stimuler l'émerveillement de mes enfants devant la nature...

«Ouais, ouais... c'est beau...»

Je n'en ai rien à cirer de cette vue magnifique! Je cherche de l'air, je veux juste que quelqu'un me dise que le calvaire achève!

«On est... au sommet... là... hhhein?

— Non, non! Reste environ deux kilomètres, ça tourne et après ça monte un peu...»

Il le savait très bien, c'était un coup monté. OK, pas grave, je boirai cette course jusqu'à la lie, après tout c'est de ma faute tout ça.

Nous sommes arrivés au sommet. Le vent s'était calmé. Un soleil chiche a tout de même fait briller les environs. Tout le pénible était derrière. Nous avons viré de bord après avoir contemplé silencieusement la plaine de la Montérégie. La montagne nous a ramenés à notre point de départ comme si de rien n'était.

Je l'ai serré en arrivant, on aurait juré qu'on se félicitait entre sportifs. En vérité, je lui disais : merci, t'as pas idée du cadeau que tu viens de me faire.

Le mort

On y était presque. Il restait quoi, 500 m au plus. Un dernier virage devant, un dernier effort dans l'air humide de ce 25 septembre un peu trop chaud. Un œil sur le cadran de la montre... La peau collante de mon bras pour m'essuyer le front...

Tiens, un attroupement.

Oh! merde.

Un beau grand jeune homme est là, affalé sur l'asphalte de la rue Viau. Quelqu'un lui fait un massage cardiaque... Est-ce que? Mais non, l'ambulance arrive à contresens en hurlant. Ça ira, souvent les gens s'évanouissent quand il fait chaud...

Mais il avait vraiment l'air...

Le gars ne bougeait pas. Je suis passé à deux mètres de lui. Comme un grand froid dans le dos, tout d'un coup... Je fais quoi, là? Je ralentis pour ne pas tomber moi aussi ou j'accélère pour ne plus y penser?

J'ai fait les deux.

J'ai eu le temps de me dire : calvaire, quelle connerie tout ça ! Je suis là à regarder ma montre comme un monomaniaque, pour « battre mon temps »... Comme si ça voulait dire quelque chose, comme si ça servait à quelque chose ! J'ai ralenti, mais vraiment, pendant 15 secondes en pensant à la vanité de toute cette entreprise, cet effort exagéré, cette quête futile...

J'ai tourné sur Sherbrooke. J'ai regardé ma montre : j'avais gagné au moins deux minutes sur mon meilleur temps au demi. J'ai foncé comme un fou vers la ligne d'arrivée.

À l'arrivée, je croise un coureur avec qui je m'entraîne. T'as vu le gars ? Il avait l'air...

Mais non, les secours étaient là, c'était un gars en forme, sûrement allait-il mieux. Jean-Pascal m'avait raconté l'histoire de cet homme de 64 ans qui courait le Marathon de Boston avec son fils l'an dernier. Infarctus au 40e kilomètre. Réanimation. Il a survécu. Alors, ce jeune homme, sûrement...

Il est mort.

Ce devait être un gars mal entraîné, non ? Pas du tout. Athlète nettement au-dessus de la moyenne, même. Il avait couru le demi-marathon en moins de 1 h 30 min, ce qui n'est pas à la portée du premier venu. Il allait probablement faire plus vite ce jour-là. Il est mort en pleine forme, quoi.

N'allez pas croire ceux qui disent que ça n'a «rien à voir» avec la course. Pendant un effort soutenu, on court plus de risques de subir un infarctus, si on est sujet à ça. Le problème, c'est qu'on ne sait généralement pas qu'on est «à risque».

N'allez pas croire non plus ceux qui diront que la course est dangereuse. La sédentarité est bien plus risquée.

En 1978, une tempête de neige avait entraîné une petite épidémie de morts par infarctus dans le Rhode Island. La semaine suivante, le taux d'infarctus dans l'État avait chuté à un niveau anormalement bas. Les gens malades (qui souvent l'ignorent), qui auraient pu subir un infarctus une semaine plus tard, étaient tombés au combat en grand nombre en pelletant.

C'est du moins ce que j'ai lu dans une étude après cette triste affaire. On se rassure comme on peut. À Philadelphie, quelques mois plus tard, on m'a dit à l'arrivée que deux personnes étaient mortes pendant l'épreuve, dont un jeune homme sans histoire.

Ça ne m'a pas empêché de courir. Des milliers de gens meurent d'un infarctus dans leur sommeil, ou en arrivant au bureau, ou en regardant la télé, ou entre deux rendez-vous dans une grosse journée de travail...

J'ai dans ma malle des montagnes de statistiques qui me disent que tout ira bien, que le sport c'est la santé. Je vous l'ai dit : je ne cours pas vraiment « pour la santé » ou « pour la forme ». Je cours pour la performance. Ça me met en forme, sans doute. Mais la forme n'est qu'un sous-produit de l'entreprise jamais achevée dans laquelle je me suis lancé sans m'en rendre compte : je cours pour voir jusqu'où je peux aller.

Va savoir ce qui t'attend au dernier détour d'une course. Tu pars en te frottant à des milliers de gens tout fébriles sur un pont tout croche qui enjambe le Saint-Laurent. Tous ces pas qui vont faire vibrer le pavé suspendu, qui nous fait vibrer en retour. Des sourires par milliers tout le long du parcours.

Puis, la mort qui te frôle. Et qui ramasse un beau grand jeune homme.

J'ai dans les poches des montagnes d'études et de discussions rassurantes avec tous les experts du cœur et de la santé.

J'ai aussi dans la tête cette image imprimée, qui remonte de temps en temps : une mort absurde au milieu de la fête, un dimanche de septembre, comme un grand désordre.

Terre

Passé le 32ᵉ kilomètre, on entre en territoire in-connu. Une *Terra incognita* personnelle comme on en dessinait en Europe sur les cartes du monde du temps où l'on n'avait pas découvert l'Amérique. On se fondait sur des légendes, des récits de pêcheurs, des racontars, de l'imagination et beaucoup de peur.

Qu'y a-t-il au large, passé le point où l'on n'a jamais couru? Des licornes et des monstres ou des mines d'or et des plantes miraculeuses?

L'entraînement moderne du marathon ne vous fait jamais courir plus de 32 km. Au-delà de cette distance ou, disons, passé trois heures d'entraîne-ment, il n'y a aucun gain à faire, nous dit-on. Que de la fatigue accumulée et des risques de blessure.

On arrive donc à son premier marathon avec plein de questions qui tournent toutes plus ou moins autour de celle-ci: que se passe-t-il après? Y a-t-il de la course après la course de 32 km?

On a entendu mille histoires de «mur». On sait que ça se passe généralement dans ces eaux-là. Qu'est-ce qui va nous arriver, à nous, hein?

Ce qui arrive, c'est que tout notre passé de coureur nous revient, comme lors d'une sorte de jugement dernier athlétique. La minute qu'on a voulu voler au départ, quand on dansait encore, il faut la repayer, capital et intérêts. Et taxes. Et amendes.

Les crampes, les marches forcées devant ces gens calés dans leur chaise pliante qui vous encouragent le long du parcours, les jambes qui ne veulent plus avancer...

Je me disais cette première fois la même chose que tous les nouveaux marathoniens : ce n'était pas la respiration qui faisait défaut, comme dans un 5 km ; on n'est en effet jamais à bout de souffle dans un marathon. On se retient, on cherche à distribuer le mieux possible son souffle. C'est ce foutu muscle qui m'a lâché, là... cette tension ici...

Évidemment qu'en titubant, on n'est pas trop essoufflé. Mais c'est une illusion de penser que le cardio-vasculaire était en pleine forme et que le musculo-squelettique nous a trahi. Tout est lié dans cette aventure : cœur, poumons et fibres musculaires et jusque dans vos cellules...

«Tu es chanceux, tu as de bonnes mitochondries», m'a même déjà dit un coureur qui s'entraîne avec moi. Cette partie de la cellule est responsable de la distribution d'énergie, si j'ai bien compris mes cours de bio.

«Ah oui! Tu trouves vraiment? C'est la première fois qu'on me complimente pour mes mitochondries, merci beaucoup.»

Tout ça pour dire que si le manque d'entraînement ou la mauvaise répartition de l'effort vous cause une crampe au mollet au 33e kilomètre, mon problème n'est pas au mollet. Il est dans tout ce que j'ai mal fait avant, dans ce cas précis un départ imprudent et un manque de kilomètres au compteur : on a beau suivre un programme scrupuleusement, après 13 mois de course à pied on est encore néophyte.

Le premier marathon est généralement un avertissement pour tous les autres. Mais les 10 derniers kilomètres restent à jamais un mystère.

À Ottawa, pour mon deuxième marathon, presque un an plus tard, j'avançais d'un pied et je freinais de l'autre. J'ai couru la première moitié avec le collègue Vincent Marissal, coureur d'expérience. À la demie, il m'a invité à accélérer tranquillement, pas vite. Je l'ai laissé partir, trop averti de ce qui m'arriverait.

J'ai gagné 10 minutes sur le premier, mais tout de même : j'ai été incapable de maintenir le rythme. J'ai progressivement ralenti tout le long de la deuxième moitié, la faisant sept minutes plus lentement que la première. J'étais content tout de même, vu que je m'attendais au pire. À l'annonce du 32ᵉ kilomètre, je regardais l'environnement et je scrutais les signaux d'alarme de mon corps avec paranoïa. Il n'est rien arrivé cette fois. Rien, sinon l'emprise de plus en plus grande de l'acide lactique dans les jambes, qui rend les derniers kilomètres interminables.

Au troisième marathon, à Mississauga, un an plus tard, mes statistiques laissent croire à une course presque parfaite : temps identique pour les deux moitiés. La réalité n'était pas aussi parfaite. Parti prudemment avec l'ami Philippe sous le crachin inhospitalier de cette banlieue de Toronto, le plan consistait à accélérer à mi-parcours. C'est ce qu'on a fait. Mais au 31ᵉ kilomètre, je lui ai dit : « Continue sans moi. »

Il a été étonné, surtout parce que je l'avais averti : on peut courir ensemble, mais je ne parle pas. Ça gaspille mon énergie, que je garde pour la fin. Parle tant que tu veux, moi je ne dis rien. Même pas « oui ».

Phil étant Phil, il a parlé tout le long de la première moitié, devisant sur le parcours et la météo, faisant connaître en temps réel l'évolution de ses états d'âme fluctuants, citant quelques répliques de *Annie Hall* et faisant même un peu de social. Il m'a présenté à deux filles qui venaient de nous rattraper : « C'est Yves, mon ami sourd-muet... »

Bref, je l'ai largué aux deux tiers de la course, il s'est qualifié pour Boston, arrivant cinq minutes avant moi. J'avais ralenti pendant les 12 derniers kilomètres, incapable de maintenir le rythme. J'avais beau forcer, ma montre me disait : oublie ça, mon vieux.

Philadelphie, théâtre de mon quatrième marathon, fut un délice touristique mais une catastrophe athlétique : j'ai couru la deuxième moitié 17 minutes plus lentement que la première. Toujours ce dépérissement de fin de course. Toujours ce mystère de la gestion de la pénurie. Comment font-ils, ceux qui accélèrent en deuxième moitié ?

Ils remettent ça. Ils apprennent à se connaître. Ils mesurent mieux leurs forces.

C'est ce que j'ai vécu à Albany, à mon cinquième marathon : une deuxième moitié plus rapide que la première. Mon kilomètre le plus rapide : le dernier. Et aucun moment d'exaspération.

Je sais que ça ne garantit rien pour les prochaines expéditions. Quand on part pour *Terra incognita*, on peut croiser des icebergs et échouer sur les récifs de Terre-Neuve. Ou mouiller doucement près d'une plage du Brésil, où des fruits exotiques gorgés de sucre vous attendent.

La carte de la Terre est toujours à redessiner.

Sur un mot de Carey Price

La collègue Marie-Claude Lortie, qui n'entend rien au hockey et s'en vante, fut dépêchée dans le vestiaire du Canadien de Montréal, il y a quelques années, histoire d'offrir aux lecteurs de *La Presse* le récit décalé d'un contre-emploi journalistique.

Elle aperçoit le gardien vedette de l'équipe, tout fin seul. Tiens! Les journalistes semblent lui avoir préféré quelques vagues recrues. Elle ne connaissait pas la règle non écrite voulant qu'un jour de match, on ne pose pas de questions au gardien de but — c'est elle qui m'a appris cette règle, d'ailleurs, en me racontant sa journée.

Elle s'approche donc du beau jeune homme au regard ténébreux et, seule avec lui, cherche une question originale à lui poser.

On était au mois de septembre, pendant les matchs préparatoires. Quelques jours plus tard, 20 000 personnes allaient participer aux épreuves du Marathon de Montréal — l'équivalent d'un Centre Bell à guichets fermés. Comme c'est une coureuse, elle a eu ce flash : «Je lui ai demandé s'il avait un message de gagnant à lancer aux joggeurs qui

s'apprêtaient alors à courir le Marathon de Montréal»,
raconte-t-elle.

Une question-ballon, on lance ça dans les airs,
on verra bien si l'interviewé la fera rebondir ou
éclater...

Il l'a fait rebondir. Lui qui n'est pas le plus grand
manufacturier de citations de l'équipe s'est soudainement ouvert.

«Il faut profiter du moment quand on y est», a
dit Price, étonnamment intense. Savourer l'instant.
Mesurer sa chance. «Moi, en tout cas, c'est comme
ça que je pense. Car je ne suis pas censé être ici.»

Comment ça, pas supposé?

On n'est pas censé être un gardien de but vedette dans la Ligue Nationale quand on vient d'une
petite réserve indienne de 500 personnes, dans le
nord de la Colombie-Britannique, a-t-il expliqué. Un
village perdu où sa grand-mère pêche le saumon et
le fait sécher pour en manger pendant de longues
semaines. «J'ai été vraiment chanceux», lui a-t-il dit.
Et aucun jour de match, il ne l'oublie.

«Alors, a-t-il conclu, coureurs ou hockeyeurs,
plus ou moins jeunes, si vous vous êtes entraînés,
si vous avez travaillé, vous en récolterez les fruits
un jour.»

Les fruits? Pas nécessairement un poste dans une équipe de hockey ou un record de course. Surtout la conscience du moment. De la vie, tout bêtement...

Une ou deux semaines avant les marathons, souvent notre gourou nous envoie une liste de 10 rappels. L'importance du sommeil, l'hydratation, des trucs du genre.

Dans l'état obsessif de préparation extrême où l'on se trouve, on passe en revue chaque détail et on lit cette liste comme des commandements.

Et à la fin de la liste, il y a toujours ceci, qu'on jugera peut-être convenu, mais qui n'a pas manqué de m'émouvoir à chaque course: n'oubliez pas la chance que vous avez de courir en santé. Prenez le temps de regarder autour de vous. Mesurez le chemin parcouru mais enregistrez l'instant.

Ouais, c'est une chance, chaque année qui passe nous le fait mieux voir. Je n'y pense plus souvent, vu que maintenant mon frère est en meilleure forme que jamais, mais c'est tout de même un quasi-mort qui m'a mené à ma première course.

À mon premier demi, au 19e kilomètre, j'ai aperçu ma belle-mère, venue m'encourager, peu de temps après un traitement pour le cancer. Hein? Elle ici... J'ai fini la course avec de sacrés frissons.

J'ai peut-être trop parlé de performance, qui est une sorte de divertissement, et pas assez de l'essentiel de la course : le sentiment de vivre non seulement mieux, mais plus.

Dans chaque longue sortie, j'essaie au moins un instant de goûter cette beauté. Le décor ne s'y prête pas toujours. Au lieu du gros œil d'une vache qu'on aperçoit à la dernière minute, éclairé par la pleine lune dans une sortie de nuit sur un chemin de campagne à Iron Hill, on peut se retrouver dans le parc industriel de Longueuil ou de Saint-Laurent. Ah ! j'en ai croisé des entrepôts en tôle gaufrée... Je pense bien que quiconque se met à courir 15 km en ligne droite dans une ville du Québec traversera inévitablement un parc industriel, où qu'il aille...

On n'a pas toujours le luxe du pittoresque, question décor, à l'entraînement comme à la course. Savourer l'instant, ce n'est pas entrer dans la carte postale. C'est arrêter son regard dans un moment rare et fugace et se dire, un peu ému : Hé ! Je ne suis tellement pas censé être un coureur... quelle chance, quand même...

Bon, allez, botte-toi le cul maintenant, restent 15 km à faire, mon chanceux... et on a la mort aux trousses.

Remerciements

Merci à Caroline Jamet, pour avoir accepté ce projet; à Martine Pelletier, des Éditions La Presse, pour l'avoir supervisé; merci à la thérapeute de sport Chantal Comeau, qui a sauvé mon premier marathon; merci à mon collègue et ami Jean-Pascal Beaupré, pour les heures de discussion, les conseils et les encouragements; merci à Antoine et Philippe, pour des raisons évidentes; merci à *La Presse*, où je travaille dans le plaisir et la liberté depuis 25 ans et où certains textes de ce livre ont été publiés dans une autre version; merci à Pierre Hamel, de l'excellent magazine québécois sur la course *Kmag* qui a déjà publié trois textes remaniés ici (L'abandon, Les secondes et La banque); merci à Marc Labrèche, pour la préface, mais surtout pour être Marc Labrèche; à Charlotte Demers-Labrecque, pour les illustrations; à Marilou Nadeau pour la photo; à la famille Arsenault, Serge et Bernard et les autres, fondateurs du Marathon de Montréal; enfin, merci à tous ceux qui se lèvent un dimanche matin, pas pour courir, mais pour aller indiquer aux coureurs de tourner à droite, ou pour leur donner un verre d'eau.

INDEX

A

B

C

D

S

T

V

W

Y

Z